中国国家汉办规划教材
体验汉语系列教材

体验 汉语®
Experiencing Chinese

文化篇
Experiencing Culture in China

60~80 课时
60~80 Hours

顾　问　刘　珣　陈　洪 (特约)
总策划　刘　援
主　编　曾晓渝
编　者　郭昭军　孙　易
　　　　袁明军　张慧晶

高等教育出版社
Higher Education Press

《体验汉语®》立体化系列教材

教材规划委员会

许 琳　　曹国兴　　刘 辉　　刘志鹏
马箭飞　　宋永波　　邱立国　　刘 援

短期课程系列

《体验汉语®·文化篇》（供60~80课时使用）

顾　　问　　刘 珣 陈 洪（特 约）
总 策 划　　刘 援
主　　编　　曾晓渝
编　　者　　郭昭军 孙 易 袁明军 张慧晶

策　　划　　王 丽
责任编辑　　王 丽
版式设计　　孙 伟
插图绘制　　刘 艳
插图选配　　王 丽
封面设计　　周 末
责任校对　　王 丽
责任印制　　毛斯璐

前 言

亲爱的老师、同学：

您好！欢迎您使用《体验汉语·文化篇》（60~80课时）。

《体验汉语·文化篇》是"体验汉语"系列教材中的一本。本教材的编写，基于体验式教学理念和任务型教学思想，充分发挥学生的主观性，突出教学的实效性。我们希望您在使用本教材的过程中，浸润于中华文明的同时体验到教与学的乐趣和愉快。

教材的主要特点

1. 这本教材以短期留学生对中国文化基本了解的需求为依据，教学对象为非零起点的汉语学习者。

2. 教材内容的选择，着眼于中西方文化存在差异的、在初到中国的日常交往中最容易遇到的一些生活文化的基本常识。

3. 全书共十二课，课文内容的安排遵循由近及远、由浅入深、由易到难的原则。

4. 每一课还设有"文化窗口"、"文化拓展"以开阔学生视野。"文化窗口"主要介绍与该课内容相关的中国文化知识。"文化拓展"依次介绍与十二生肖相关的成语、谚语、歇后语，以及十二个汉字基本形符的演变。

5. 图文并茂，形式活泼。书中配有大量图片，帮助学生更有效、更直观地学习汉语，以其趣味性激发学生的学习积极性，从而提高学习效率。"活动"部分听、说、读、写方式灵活多样，实践性、互动性很强，便于理解掌握。

教材的基本结构

教材共分12课，每课首先明确学习目标，然后以"热身"开始第一步，引导学生进入新阶段的学习。

每课的主体内容分为两大部分，两部分结构基本一致，内容密切相关。

每一部分都由"生词与短语"、"关键句"、"实景对话"和"活动"四部分构成。

每部分的"活动"又包括"口语任务"、"听力任务"、"交际任务"等多种练习形式。通过这些活泼多样的练习形式，训练学生听、说、读、写的能力。

最后，每课课后还设有"文化窗口"、"文化拓展"两个部分，进一步介绍与各课内容相关的文化信息。

这部教材由南开大学文学院的曾晓渝、郭昭军、孙易、袁明军等几位老师共同编写完成。在此书完稿之际，首先要深深感谢南开大学副校长、文学院院长陈洪教授，副院长李瑞山教授在教材编写的过程当中给予的热情指导和大力支持。同时，高等教育出版社国际汉语出版中心的领导、编辑，特别是责任编辑在教材策划、版式设计、插图绘制等方面作了大量工作，北京大学中文系的专家对初稿提出了宝贵的意见，谨此向他们致以感谢。

我们希望在使用本教材的过程中，师生们能够体验到中华文明教与学的兴趣和愉快。同时，真诚欢迎大家对本书提出宝贵的意见和建议，以使其得到不断完善。

编　者
2006 年 3 月

Preface

Experiencing Culture in China is one of the series of the *Experiencing Chinese*. The guiding principle of this book is "experience" and "practice". We are especially emphasis on creating a real communicative setting that will encourage learners to speak, listen and talk in Chinese. You will find that learning Chinese is easy and happy, and at the same time, you can also learn some knowledge about Chinese culture.

The main characters of the book are as follows:

1. This book is for learners who have some basic knowledge about Chinese language, especially for short term learners who are interested in Chinese culture.

2. Since there are cultural differences, we selected materials that learners will have to face in their daily life in China.

3. There are 12 lessons in this book. The content of the book are arranged following the principle of going from the easy to the difficult.

4. In each of the lessons, there are parts named culture window and basic knowledge of Chinese characters. The culture window is about the basic knowledge of Chinese culture. The basic knowledge about Chinese characters is about the history and the structure of Chinese characters, including Chinese idioms and proverbs.

5. The other character of this book is that we add many pictures to help learners to understand the texts. Learners will have more opportunities to practice Chinese in class.

The content of the book:

There are 12 lessons in this book. Each lesson will start with "warm-up" which will guide learners to go to the content of the text.

Each lesson is divided into two related parts.

Each part includes "words and phrases", "key sentences", "dialogue" and "activities". In "activities", there are "speaking tasks", "listening tasks", and "communication tasks". Learners can be trained in different ways.

In the end of each lesson, there are "culture window" and "basic knowledge of Chinese characters". Learners can learn some knowledge about Chinese culture.

目 录
CONTENTS

	目 标	页 码
	Objectives	Page

01 Paying a New Year Call to a Friend!

第一课 给您拜年！

dì yī kè gěi nín bàinián

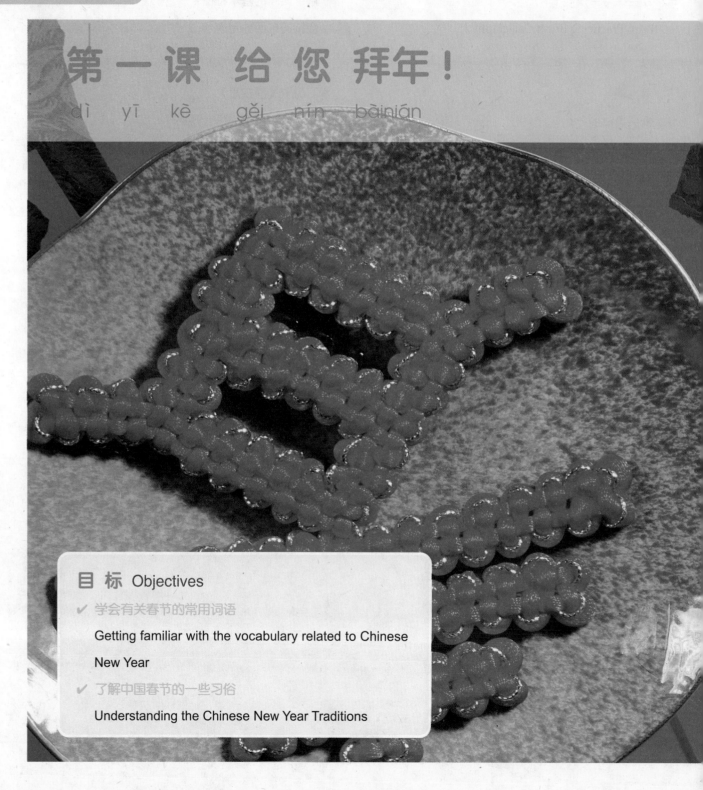

目标 Objectives

✓ 学会有关春节的常用词语

Getting familiar with the vocabulary related to Chinese New Year

✓ 了解中国春节的一些习俗

Understanding the Chinese New Year Traditions

春联
chūnlián
New Year Couplets

鞭炮
biānpào
firecrackers

烟花
yānhuā
fireworks

年夜饭
niányèfàn
dinner on New Year's Eve

春节　晚会
Chūnjié wǎnhuì
New Year's Eve Celebrations

第 一 部 分

Part 1   生词与短语   **Words & Phrases**

新年 xīnnián	New Year
拜年 bàinián	pay a New Year call
贴 春联 tiē chūnlián	paste New Year couplets (on the doorway)
春节 Chūnjié	Chinese New Year, Spring Festival
读音 dúyīn	pronunciation

鞭炮 biānpào	firecrackers
真 热闹 zhēn rè'nao	noisy and exciting
到处 dàochù	everywhere
福 fú	luck, auspiciousness, fortune
客气 kèqi	polite

关键句   Key Sentences

给 您 拜年!
Gěi nín bàinián!
Wishing you a happy New Year!

您 家 门上 贴 的 是 什么?
Nín jiā ménshang tiē de shì shénme?
What are those that you pasted on the door?

每年 春节 都 要 贴 春联。
Měinián Chūnjié dōu yào tiē chūnlián.
We paste New Year couplets on the door each year on the Spring Festival.

"到" 和 "倒" 读音 一样。
"Dào" hé "dào" dúyīn yīyàng.
The word "倒" (upside down) sounds similar to the word "到" (coming).

实景对话 Dialogue

(今天 是 春节， 学生 马克 到 刘老师 家去 拜年)
(Jīntiān shì Chūnjié, xuéshēng Mǎkè dào Liú lǎoshī jiā qù bàinián)

马克： 刘老师， 新年好！给您 拜年！
Mǎkè: Liú lǎoshī, xīnniánhǎo! Gěi nín bàinián!

刘老师： 谢谢，新年 好！
Liú lǎoshī: Xièxie, xīnnián hǎo!

马克： 刘老师，您家 门上 贴的是 什么？
Mǎkè: Liú lǎoshī, nín jiā ménshang tiē de shì shénme?

刘老师： 是 春联。每 年 春节 都要 贴 春联。
Liú lǎoshī: Shì chūnlián. Měi nián Chūnjié dōu yào tiē chūnlián.

马克： 这 是 "福" 字吧， 为什么 贴 倒 了？
Mǎkè: Zhè shì "fú" zì ba, wèishénme tiē dào le?

刘老师： 意思是 "福" 到 了，"到"和 "倒" 读音 一样。
Liú lǎoshī: Yìsi shì "fú" dào le, "dào" hé "dào" dúyīn yīyàng.

马克： 中国 春节 真 热闹！ 到处 都 在 放 鞭炮。
Mǎkè: Zhōngguó Chūnjié zhēn rè'nao! Dàochù dōu zài fàng biānpào.

刘老师： 是 啊， 晚上 还要 放 烟花，很 好看。来 我家 吃
Liú lǎoshī: Shì a, wǎnshang hái yào fàng yānhuā, hěn hǎokàn. Lái wǒ jiā chī

年夜饭 吧。
niányèfàn ba.

马克： 太 好了，谢谢！
Mǎkè: Tài hǎo le, xièxie.

语言注释
在: Indicating an action in progress

Mark: Professor Liu, Happy New Year!

Teacher Liu: Thank you. Happy New Year!

Mark: Professor Liu, What are pasted on the door?

Teacher Liu: They are Spring Festival couplets. We will have them on the door every year at the Spring Festival.

Mark: This must be the word of "fortune". Why is it upside down?

Teacher Liu: It symbolizes the good fortune is coming. The word "upside down" sounds similar to the word "coming" in Chinese.

Mark: Chinese Spring Festival is lots of fun. The firecrackers are everywhere.

Teacher Liu: It is indeed! This evening, there will be fireworks. It will be splendid. Welcome to my home and have New Year's Eve dinner with us.

Mark: Thanks!

活 动 Activities

口语任务 Speaking Tasks

Step 1 看图说话 Look at the Illustrations and Speak

给 您 拜 年
gěi nín bàinián

贴 春联
tiē chūnlián

福到了
fú dào le

放 鞭炮
fàng biānpào

Step 2 连线搭配 Match

| 放 fàng | 贴 tiē | 写 xiě | 真 zhēn |

| 春联 chūnlián | "福"字 fú zì | 热闹 rè'nao | 鞭炮 biānpào |

Step 3 替换练习 Substitution

给 …… 拜年 gěi bàinián	给 您 拜年。 Gěi nín bàinián.
	老师 lǎoshī ……
门上　贴的是 …… ménshang tiē de shì	门上　贴的是 春联。 Ménshang tiē de shì chūnlián.
	一幅画 yī fú huà ……
每年　春节 都 要 …… měinián Chūnjié dōu yào	每年　春节 都 要 贴 春联。 Měinián Chūnjié dōu yào tiē chūnlián.
	包　饺子 bāo jiǎozi
	去 看 父母 qù kàn fùmǔ
…… 和 …… 一样 hé yīyàng	"到" 和 "倒"　读音 一样。 "Dào" hé "dào"　dúyīn yīyàng.
	这本书　那本书 价钱 zhèběnshū nàběnshū jiàqián ……

 听力任务 Listening Tasks

Step 1 先听一遍录音，然后选择正确答案。Listen and then make a choice.

录音中提到的活动有

| 贴春联 | 吃月饼 | 放烟花 | 拜年 | 回家 | 看花灯 |

Step 2 再听一至两遍录音，然后选择正确答案。Listen again and then make a choice.

在中国，＿＿＿＿＿＿＿＿＿＿是一年中最重要的节日。

A. 中秋节　　　　　　B. 春节　　　　　　C. 元宵节

 交际任务 Communication Tasks

Step 1 角色扮演 Role-Play

角 色 Role

老师和学生 Teacher and Student

任 务 Assignment

过年了，学生玛丽去老师家拜年，学生和老师互相介绍本国的重要节日和风俗习惯。

Mary goes to the teacher's house to pay a New Year call. She and her teacher talk about the important festivals and customs in their countries.

Step 2 交际体验 Communication Practice

玛丽是加拿大留学生，今年她在中国朋友家里过春节。春节后玛丽给她爸爸妈妈打电话。

题目：中国春节真热闹!

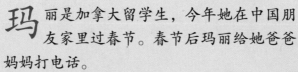

Mary is a university student from Canada. This year she is spending Chinese New Year at a Chinese friend's house. After Spring Festival celebrations, Mary makes a telephone call to her parents in Canada.

Topic: Spring Festival is really exciting!

第二部分

Part 2 生词与短语 Words & Phrases

欢迎 huānyíng	welcome
担心 dānxīn	worry, be afraid
叫 jiào	call
团圆 tuányuán	reunion
重要 zhòngyào	important
顿 dùn	(a measure word for a meal)
全家人 quánjiārén	the whole family
一起 yīqǐ	together
晚会 wǎnhuì	evening celebration
时候 shíhou	time (when something is taking place)
安全 ānquán	safety
小心 xiǎoxīn	be careful

关键句 Key Sentences

我 担心 你 不来。
Wǒ dānxīn nǐ bùlái.
I was afraid you weren't coming.

什么 时候 放 烟花?
Shénme shíhou fàng yānhuā?
When will you set off fireworks?

放 鞭炮 和 烟花 多 热闹!
Fàng biānpào hé yānhuā duō rè'nao!
Setting off fireworks is really fun!

吃 完 饭 就 放。
Chī wán fàn jiù fàng.
Right after dinner we'll set them off.

今年 春节 热闹 多 了。
Jīnnián Chūnjié rè'nao duō le.
This year's Spring Festival is more exciting than ever.

(晚上， 马克来到刘老师 家)
(Wǎnshang, Mǎkè lái dào Liú lǎoshī jiā)

刘老师： 欢迎， 欢迎！ 我还担心你不来。
Liú lǎoshī： Huānyíng, huān yíng! Wǒ hái dānxīn nǐ bùlái.

马克： 有 这么多 好吃的东西，当然 要来啦！为什么
Mǎkè： Yǒu zhème duō hǎochī de dōngxi, dāngrán yào lái la! Wèishénme

叫 年夜饭？
jiào niányèfàn?

刘老师： 年夜饭 又 叫 "团圆饭"，是 中国人 一 年
Liú lǎoshī： Niányèfàn yòu jiào "tuányuánfàn", shì Zhōngguórén yī nián

中 最 重要 的一顿 饭。
zhōng zuì zhòngyào de yīdùn fàn.

马克： 听 说 北方人 还 要 吃 饺子？
Mǎkè： Tīng shuō běifāngrén hái yào chī jiǎozi?

刘老师： 是的。 全家人 在一起吃 饺子，还要 看 春节 晚会。
Liú lǎoshī： Shìde. Quánjiārén zài yīqǐ chī jiǎozi, háiyào kàn Chūnjié wǎnhuì.

马克： 什么 时候 放 烟花？
Mǎkè： Shénme shíhou fàng yānhuā?

刘老师： 吃 完 饭就放。前几年 北京 不能 放 鞭炮 和
Liú lǎoshī： Chī wán fàn jiù fàng. Qián jǐ nián Běijīng bùnéng fàng biānpào hé

烟花。
yānhuā.

马克： 听说 今年 可以 放了。
Mǎkè： Tīngshuō jīnnián kěyǐ fàng le.

刘老师: 是的，所以 今年 春节 热闹 多 了。
Liú lǎoshī: Shìde, suǒyǐ jīnnián Chūnjié rè'nao duō le.

马克: 放 鞭炮 和 烟花 多 热闹 啊!
Mǎkè: Fàng biānpào hé yānhuā duō rè'nao a!

刘老师: 可是 很多人 说 不 安全。
Liú lǎoshī: Kěshì hěnduō rén shuō bù ānquán.

马克: 小心 就 可以 了。
Mǎkè: Xiǎoxīn jiù kěyǐ le.

刘老师: 我们 吃吧，菜 要 凉 了。
Liú lǎoshī: Wǒmen chība, cài yào liáng le.

马克: 好。
Mǎkè: Hǎo.

语言注释
还：still more, also, in addition.

Teacher Liu: Welcome, Welcome! I was afraid you weren't coming.
Mark: There are so many delicious foods, of course I will come. Why do you call it "New Year's Eve dinner"?
Teacher Liu: The "New Year's Eve dinner" is also called "reunion dinner". This is the most important dinner of a year.
Mark: I've heard that people of North will eat dumplings.
Teacher Liu: Yes, the whole family eats dumplings together. We will also watch Spring Festival celebration programs.
Mark: When will you set off fireworks?
Teacher Liu: It will be after dinner. During the past few years, it was not allowed to set off firecrackers.
Mark: But it is resumed from this year.
Teacher Liu: Yes, that is why it is even more noisy and excited this year!
Mark: Setting off fireworks is really noisy and excited!
Teacher Liu: However some people say it is unsafe.
Mark: We should be very careful.
Teacher Liu: Let's have our dinner. The dishes are getting cold.
Mark: OK.

活 动 Activities

 口语任务 Speaking Tasks

Step 1 连线搭配 Match

吃	看	放	担心
chī	kàn	fàng	dān xīn

不来	饺子	春节 晚会	烟花
bùlái	jiǎozi	Chūnjié wǎnhuì	yānhuā

Step 2 选词填空 Fill in the Blanks

欢迎	重要
全家人	一起
安全	

◆ _____ 来中国。

◆ 学汉语很 _____ 。

◆ _____ 都喜欢游泳。

◆ 我们 _____ 去旅游吧。

◆ _____ 第一。

Step 3 替换练习 Substitution

什么 时候 ……?	什么 时候 放 鞭炮?	吃 完 饭 就 放。
Shénme shíhou	Shénme shíhou fàng biānpào?	Chīwánfàn jiù fàng
	回国	考 试 回国
	huíguó	kǎo shì huíguó

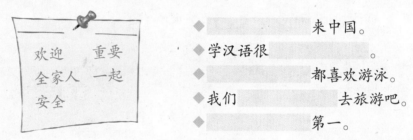

我 担心 ……	我 担心 你 不来。
wǒ dānxīn	Wǒ dānxīn nǐ bùlái.
	妈 妈 生病
	māma shēngbìng

…… 多 ……	放 烟花 多 好看。
duō	Fàng yānhuā duō hǎokàn.
	学 汉语 有 意思
	xué hànyǔ yǒu yìsi

…… 多 了	今年 春节 热闹 多 了。
duō le	Jīnnián Chūnjié rè'nao duō le.
	那 本 书 简单
	nà běn shū jiǎndān

听力任务 Listening Tasks

Step 1 ▶ 先听一遍录音，然后选择。Listen and then make a choice.

马克在 [   ] 过的春节。

A. 林华家   B. 玛丽家   C. 自己家

Step 2 ▶ 再听一至两遍录音，然后选择。Listen again and then make a choice.

[   ] 在包饺子。

A. 玛丽和林华   B. 马克和林华的妈妈   C. 玛丽和林华的妈妈

交际任务 Communication Tasks

Step 1 ▶ 角色扮演 Role-Play

角 色 Role
两个国别不同的学生
Two foreign students from different countries

任 务 Assignment
谈论在中国过春节的所见所闻。
They discuss their experiences of spending the Spring Festival in China.

Step 2 ▶ 交际体验 Communiction Practice

卡尔和安娜都是外国留学生。今年他们一起在中国朋友张明家里过春节。
题目：我在中国过春节。

Carl and Anna are foreign students. This year they are both going to their Chinese friend Zhang Ming's home for Spring Festival.
Topic: I am spending Spring Festival in China.

文化窗口 Culture Window

中国的传统节日
China's Traditional Festivals

元宵节在农历①正月十五日。元宵节有赏灯和吃元宵等习惯。到了晚上，人们要走出家门，欣赏彩灯、猜灯谜、放焰火、放鞭炮等。很多地方还有耍龙灯、耍狮子、扭秧歌②等习俗。

端午节在农历五月初五。相传端午节是为了纪念爱国诗人屈原而产生的，已经有2000多年的历史了。在端午节这天，人们都要吃粽子③。在南方，许多地方还要赛龙舟。

中秋节在农历八月十五日。像春节一样，中秋节也是家人团聚的日子。这天晚上月亮最圆，所以人们一边吃月饼④，一边赏月。

A　The Lantern Festival is held on the 15th of the first lunar month.

People make paper lanterns and eat sweet dumplings made with glutinous rice flour. At night people go outside, display their lanterns, and set off fireworks. In many places, there are lion and dragon dances.

B　The Dragon Boat Festival is on the 5th day of the 5th lunar month. The festival is held to commemorate Chinese patriot and poet Qu Yuan, who lived more than two thousand years ago. On this day everyone eats Zongzi. In southern China many places have Dragon Boat races.

C　Mid-Autumn Festival is on the 15th of the 8th lunar month. It is much like Chinese New Year in that it's also a family holiday. On this night the moon is at its fullest. People eat moon cakes and admire the moon.

注　释

①The lunar calendar is the traditional way by which Chinese mark time. January 1st of the lunar calendar is Chinese New Year. ②In the countryside of north China during the Lantern Festival there is a kind of folk dancing and singing which has been passed down through generations. ③Zongzi is sticky rice wrapped in bamboo leaves and steamed. Zongzi is always eaten on Dragon Boat Festival Day. ④Moon cake is the special food for Mid-Autumn Festival.

文化拓展 General Knowledge of Chinese Culture

老鼠 看 书 —— 咬文 嚼字
lǎoshǔ kàn shū　　　　yǎowén jiáozì

[pay excessive attention to wording (oft. in finding fault with the usage of words rather than understanding the essence of the matter.)]

学汉字 Word Formation

人 rén	human, 像一个人的侧面。 The character looks like the profile of a human.
休 xiū	rest, 像一个人靠在一棵树上的样子。 The character looks like a person leaning against a tree. 休息 xiūxi, have (or take) a rest; 退休 tuìxiū, retire.
停 tíng	stop, cease, halt, "亭"是这个字的声旁。 The "亭" is the sound element of the word. 停止 tíngzhǐ、停顿 tíngdùn, both mean to stop or halt.

02 | Stand Treat Today

第二课 今天 我 请客
dì èr kè jīntiān wǒ qǐngkè

目标 Objectives

✔ 了解常见菜菜名

Getting familiar with the popular dishes of Chinese food

✔ 了解中国主要菜系及其主要特点

Understanding the differences and characteristics of Chinese cuisines

✔ 学会点菜

Learn how to order dishes

热菜
rècài
hot dish

凉菜
liángcài
cold dish

饮料
yǐnliào
drinks

主食
zhǔshí
staple food

八大菜系的 代表菜 之一
bādàcàixì de dàibiǎocài zhīyī
one of the representative dishes of eight different cuisines

第 一 部 分

Part 1　　生词与短语 Words & Phrases

饭馆 fànguǎn	restaurant
服务员 fúwùyuán	waiter(waitress)
欢迎　光临 huānyíng guānglín	welcome
菜单 càidān	menu
点菜 diǎncài	order dishes
热菜 rècài	hot dish
汤 tāng	soup

辣 là	spicy
凉菜 liángcài	cold dish
饮料 yǐnliào	drink, beverage
壶 hú	pot
主食 zhǔshí	staple food
两 liǎng	a unit of weight （=50 grams)
稍等 shāoděng	wait a moment

关 键 句 Key Sentences

我 要 一个 麻婆豆腐，再要 一个 酸辣汤。
Wǒ yào yīgè mápódòufu, zài yào yīgè suānlàtāng.
Give me spicy bean curd, and spicy and sour soup.

你们 有 什么 饮料?
Nǐmen yǒu shénme yǐnliào?
What drinks do you have?

有 可乐、果汁、 啤酒,还 有 茶。
Yǒu kělè、guǒzhī、 píjiǔ, hái yǒu chá.
We have coke, juices, beer and tea.

实景对话　Dialogue

(下课了，马克 和 林华 去一家 饭馆 吃饭)
(Xiàkè le, Mǎkè hé Lín Huá qù yìjiā fànguǎn chīfàn)

服务员：　欢迎　　光临！ 请问　几位？
Fúwùyuán：　Huānyíng guānglín! Qǐngwèn jǐwèi?

林华：　两位。
Lín Huá：　Liǎngwèi.

服务员：　请坐。　这是　菜单。
Fúwùyuán：　Qǐngzuò. Zhè shì càidān.

林华(问马克)：　你 想　吃　什么？
Lín Huá(wèn Mǎkè)：　Nǐ xiǎng chī shénme?

马克：　来一个 辣子鸡 吧。你 呢？
Mǎkè：　Lái yīgè　làzijī　ba. Nǐ ne?

林华：　我 要　一个 麻婆豆腐,再要　一个　酸辣汤。
Lín Huá：　Wǒ yào yīgè mápódòufu, zài yào yīgè suānlàtāng.

服务员：　要　凉菜 吗？
Fúwùyuán：　Yào liángcài ma?

林华：　不 要。你们 有　什么　饮料？
Lín Huá：　Bù yào. Nǐmen yǒu shénme yǐnliào?

服务员：　有 可乐、果汁、啤酒,还有　茶。
Fúwùyuán：　Yǒu kělè、guǒzhī、píjiǔ,　hǎiyǒu chá.

马克：　来一壶茶 吧。
Mǎkè：　Lái yīhú chá ba.

服务员：　好。请问　主食要　什么？
Fúwùyuán：　Hǎo.Qǐngwèn zhǔshí yào shénme?

马克： 我 要 三两 饺子。
Mǎkè： Wǒ yào sānliǎng jiǎozi.

林华： 我 要 一碗 米饭。
Lín Huā： Wǒ yào yīwǎn mǐfàn.

服务员： 好。请 稍等。
Fúwùyuán： Hǎo. Qǐng shāoděng.

Waitress:	Welcome! How many people do you have?
Lin Hua:	Two.
Waitress:	Sit down please. Here is the menu.
Lin Hua:	What would you like to eat?
Mark:	Spicy chicken. What about you?
Lin Hua:	I like spicy bean curd and spicy and sour soup.
Waitress:	Would you like to have some cold dishes?
Lin Hua:	No, thanks. What drinks do you have?
Waitress:	We have coke, juices, beer and tea.
Mark:	Give us a pot of tea please.
Waitress:	OK. What kind of staple food would you like?
Mark:	Give me 3 *liang* dumplings please.
Lin Hua:	Give me one bowl of rice please.
Waitress:	OK. Please wait a moment.

活 动 Activities

口语任务 Speaking Tasks

Step 1 看图说话 Look at the Illustrations and Speak

要 三两 饺子
yào sānliǎng jiǎozi

要 一个 辣子鸡
yào yīgè làzijī

我 要 一个 麻婆豆腐
wǒ yào yīgè mápódòufu

要 果汁 吗
yào guǒzhī ma

再 要 一个 酸辣汤
zài yào yīgè suānlàtāng

Step 2 连线搭配 Match(答案不是唯一的)

饮料	茶	可乐	啤酒	菜	米饭	饺子	汤
yǐnliào	chá	kělè	píjiǔ	cài	mǐfàn	jiǎozi	tāng

点
diǎn

吃
chī

喝
hē

Step 3 替换练习 Substitution

你们 有 什么……？	你们 有 什么 饮料？	我们 这儿 有 可乐、啤酒。
Nǐmen yǒu shénme	Nǐmen yǒu shénme yǐnliào?	Wǒmen zhèr yǒu kělè、 píjiǔ.
	特色菜 tèsè cài	狮子头、古老肉 shīzitóu、gǔlǎoròu
	热菜 rècài	辣子鸡、麻婆豆腐 làzijī、 mápódòufu
	凉菜 liángcài	水果沙拉 shuǐguǒshālā
	主食 zhǔshí	米饭、饺子 mǐfàn、jiǎozi
	汤 tāng	酸辣汤、 番茄鸡蛋汤 suānlàtāng、 fānqiéjīdàntāng

听力任务 Listening Tasks

Step ① 先听一遍录音，然后选择正确答案。Listen and then make a choice.

马克点了 ＿＿＿＿＿＿＿＿ 。
A. 热菜　　　　　　　　B. 凉菜　　　　　　　　C. 可乐

马克 ＿＿＿＿＿＿＿ 酸辣汤。
A. 喜欢　　　　　　　　B. 不喜欢　　　　　　　C. 没喝过

Step ② 再听一至两遍录音，然后选择正确答案。Listen again and then make a choice.

这儿的 ＿＿＿＿＿＿ 不错。
A. 鱼香肉丝　　　　　　B. 麻婆豆腐　　　　　　C. 烤鸭

马克点了 ＿＿＿ 瓶可乐。
A. 1　　　　　　　　　B. 2　　　　　　　　　C. 3

 交际任务 Communication Tasks

Step ① 角色扮演 Role-Play

角 色 Role
马克和卡尔 Mark and Carl

任 务 Assignment
　下课了，马克和卡尔去学校的饭馆吃饭。
After class, Mark and Carl went to a restaurant to have lunch.

Step 2 交际体验 Communication Practice

讲讲你来中国以后去饭馆吃饭的过程。

Tell us your experience of eating in a restaurant in China.

第 二 部 分

Part 2 生词与短语 Words & Phrases

好吃 hǎochī	delicious		饮食 yǐnshí	food and drink
菜系 càixì	cuisine, food		油腻 yóunì	greasy
比如 bǐrú	for example		更 gèng	more, even more
比较 bǐjiào	comparatively, relatively		最 zuì	most
清淡 qīngdàn	light (food)		请客 qǐngkè	stand treat
甜 tián	sweet		结账 jiézhàng	pay a bill
有点儿 yǒudiǎnr	a little bit			

关键句 Key Sentences

好吃　是　好吃，不过　有点儿　辣。
Hǎochī shì hǎochī, búguò yǒudiǎnr là.
It is delicious, but it's a little bit spicy.

浙江　菜 比较　清淡，　广东　菜 有点儿　甜。
Zhèjiāng cài bǐjiào qīngdàn, Guǎngdōng cài yǒudiǎnr tián.
Zhejiang cuisine tastes light, Guangdong cuisine tastes sweet.

南方　菜 更　清淡。
Nánfāng cài gèng qīngdàn.
Southern food tastes light.

我 最 喜欢 吃　广东　菜。
Wǒ zuì xǐhuan chī Guǎngdōng cài.
I like Guangdong food the most.

实景对话　Dialogue

(饭馆　里, 马克和　林华 在 吃饭)
(Fànguǎn lǐ,　Mǎkè hé Lín Huá zài chīfàn)

林华: 你 觉得 今天 的 菜 好吃　吗?
Lín Huá: Nǐ juéde jīntiān de cài hǎochī ma?

马克: 好吃　是 好吃，不过 有点儿 辣。
Mǎkè: Hǎochī shì hǎochī, bùguò yǒudiǎnr là.

林华: 这里是 一家　川菜　馆，　四川　菜 都 有点儿 辣。
Lín Huá: Zhèlǐ shì yījiā chuāncài guǎn,　Sìchuān cài dōu yǒudiǎnr là.

马克: 四川　菜?
Mǎkè: Sìchuān cài?

林华: 中国　有 八大菜系，每个 菜系 都 有 自己 的 特点。
Lín Huá: Zhōngguó yǒu bādàcàixì,　měi gè càixì dōu yǒu zìjǐ de tèdiǎn.

比如，浙江　菜 比较　清淡，　广东　菜 有点儿 甜。
Bǐrú,　Zhèjiāng cài bǐjiào qīngdàn, Guǎngdōng cài yǒudiǎnr tián.

马克: 我 知道，　四川　菜 有点儿 辣。
Mǎkè: Wǒ zhīdào,　Sìchuān cài yǒudiǎnr là.

林华：　对！ 中国　人 有一句话叫 "民 以 食 为 天"。 中国
Lín Huā:　Duì! Zhōngguó rén yǒu yī jù huà jiào "mín yǐ shí wéi tiān". Zhōngguó

的 饮食　文化　很 有　特点：北方　菜　有点儿　油腻，
de yǐnshí wénhuà hěn yǒu tèdiǎn: běifāng cài yǒudiǎnr yóunì,

南方　菜　更　清淡。
nánfāng cài gèng qīngdàn.

马克：　南方　菜　更　合 我 口味。你 喜欢 吃　什么　菜？
Mǎkè:　Nánfāng cài gèng hé wǒ kǒuwèi.　Nǐ xǐhuan chī shénme cài?

林华：　我　最　喜欢 吃　　广东　菜。
Lín Huā:　Wǒ zuì xǐhuan chī Guǎngdōng cài.

马克：　好，下次 我　请 你 吃　　广东　菜。
Mǎkè:　Hǎo, xiàcì wǒ qǐng nǐ chī Guǎngdōng cài.

林华：　好。今天　我　请客。 服务员， 结账！
Lín Huā:　Hǎo. Jīntiān wǒ qǐngkè.　Fúwùyuán, jiézhàng!

语言注释

八大菜系：Eight cuisines include, Shandong food, Guangdong food, Sichuan food, Zhejiang food, Jiangsu food, Fujian food, Hunan food and Anhui food.

Lin Hua: Is today's food delicious?

Mark: Yes, it is, but it is a little bit spicy.

Lin Hua: This is a Sichuan food restaurant. Sichuan food tastes spicy.

Mark: What do you mean Sichuan food?

Lin Hua: We have eight different styles of foods in China, and each style food has its own flavor. For example, Zhejiang food tastes light, Guangdong food tastes sweat.

Mark: I see. Sichuan food tastes spicy.

Lin Hua: Right, in China, people often say "Hunger breeds discontentment". Chinese food culture is very unique: northern Chinese food tastes greasy and southern Chinese food tastes light.

Mark: Southern Chinese food is more suitable to me. What food do you like?

Lin Hua: I like Guangdong food the most.

Mark: Next time, I will invite you to have Guangdong food.

Lin Hua: I will stand treat today. Waiter, bring me the bill.

活 动 Activities

 口语任务 Speaking Tasks

Step 1 连线搭配 Match

四川　　菜
Sìchuān cài

湖南　　菜
Húnán cài

广东　　　菜
Guǎngdōng cài

浙江　　菜
Zhèjiāng cài

辣
là

甜
tián

清淡
qīngdàn

Step 2 选词填空 Fill in the Blanks

◆今天他▨▨▨▨▨▨▨。

◆在超市,先买东西,再▨▨▨▨▨▨。

◆我们到饭馆的时候,服务员说:"▨▨▨▨▨▨▨"。

◆妈妈做的饭菜最▨▨▨▨▨▨。

◆他们两个,马克▨▨▨▨▨高。

◆八大菜系里,玛丽▨▨▨▨▨喜欢四川菜。

好吃、比较、
最、欢迎光临、
结账、请客

Step 3 替换练习 Substitution

adj. + 是 + adj., 不过……	菜　好吃　是　好吃，不过　有点　辣。
shì　　bùguò	Cài　hǎochī shì hǎochī, bùguò yǒudiǎn là.
	衣服　好看　　好看　　　　有点　贵 yīfu　hǎokàn　hǎokàn　　　yǒudiǎn guì
	作业　好做　　好做　　　　有点　多 zuòyè　hǎozuò　hǎozuò　　　yǒudiǎn duō

	她 tā	漂亮 piàoliang	漂亮 piàoliang	有点 瘦 yǒudiǎn shòu
……比……	浙江 菜比 四川 菜 清淡。 Zhèjiāng cài bǐ Sìchuān cài qīngdàn。			
	热菜 rècài	凉菜 liángcài	好吃 hǎochī	
	衣服 yīfu	鞋 xié	便宜 piányi	
	骑车 qí chē	走路 zǒulù	快 kuài	

 听力 任务 Listening Tasks

Step 1 先听一遍录音，然后选择正确答案。Listen and then make a choice.

今天 _____ 请客。
A. 马克 　　　　　 B. 林华 　　　　　 C. 一个朋友

林华喜欢 _____。
A. 广东菜 　　　　 B. 浙江菜 　　　　 C. 四川菜

Step 2 再听一至两遍录音，然后选择正确答案。Listen again and then make a choice.

他们最后决定吃 _____。
A. 广东菜 　　　　 B. 山东菜 　　　　 C. 四川菜

他们准备 _____ 去吃饭。
A. 骑车 　　　　　 B. 走路 　　　　　 C. 坐车

交际任务 Communication Tasks

Step 1 ▶ 角色扮演 Role-Play

角 色 Role

全班分组

Group discussion

任 务 Assignment

互相询问小组成员吃过哪些菜系的中国菜,自己的喜好。

Ask each other the food they have tried. Ask each other which food they like the most.

Step 2 ▶ 交际体验 Communication Practice

把 会话练习 1 中你们小组的情况介绍给全班同学。

题目:我们喜欢 _____.

Tell the whole class what you have discussed in gruop discussion.

Topic: We like _____.

文化窗口 Culture Window

中国的饮食文化
China's Food Culture

中国人一天一般吃三顿饭:早饭、午饭、晚饭。

中国人的早饭比较简单。在北方,人们经常吃粥、豆浆、油条、牛奶、馒头、鸡蛋等食物。在南方,人们还经常吃一些面条。

中国人认为,早饭要吃得好点儿,午饭要吃多点,晚饭要少吃点。这就是俗话说的:早吃好,午吃饱,晚吃少。

在中国的饭馆吃饭,上菜的顺序一般是先上凉菜,再上饮料、热菜、主食和汤。

有的饭馆会先给客人一壶茶水。这壶茶是不要钱的。有的饭馆的茶水比较好,品种也比较多,这样的茶水是要付钱的。

中国人很喜欢在吃饭的时候喝茶。茶可以在吃饭以前喝,也可以在饭后喝。

中国的饮食文化在全世界都非常出名,在中国菜里,"满汉全席"又非常出名。

"满汉全席"里的菜有汉族的名菜也有满族的名菜。"满汉全席"先上点心,再上三道茶,然后才正式开始上菜。上菜的顺序是冷菜、头菜、炒菜、饭菜、甜菜、点心和水果等。它最少有一百零八种菜,一般分三天吃完。

A　In China, we eat 3 meals a day: breakfast, lunch and dinner.

The breakfast is simple. In northern China, we often eat conjee, soybean milk, *youtiao* (deep-fried twisted dough sticks), milk, steamed bread, and egg. In southern China, people like to eat noodles.

In China, we hold that breakfast should be good, the lunch should be enough, the dinner should be small. People often say: a fine breakfast, a full lunch, and a small dinner.

B　In a Chinese restaurant, the order of serving dishes is as follows: cold dishes, drinks, hot dishes, staple food and soup. In some restaurants, tea is served first and it is free. Some restaurants offer different kinds of tea, which are very good. However, you have to pay for it.

We like to drink tea over a meal. We drink tea either before or after a meal.

C　Chinese food is very famous in the world, and *Manhan Quanxi* is very famous in China.

Manhan Quanxi (complete feast of the *Man* and the *Han* nationalities) includes many famous dishes of both the *Man* and the *Han* nationalities. The serving order of *Manhan Quanxi* is as follows: dimsum first, then three courses of tea, then regular dishes. The regular dishes include cold dishes, beginning dishes, fried dishes, staple food, sweets, dimsum, and fruits. *Manhan Quanxi* have at least 108 dishes. It usually takes three days to finish the meal.

文化拓展 General Knowledge of Chinese Culture

对　牛　弹琴
duì niú tánqín

> (Play the lute to a cow. Address the wrong audience, talk over sb's head.)

学汉字 Word Formation

鱼 yú		fish, 像一条鱼的样子。 The character looks like a fish.
鲜 xiān		fresh, delicious, "鱼"和"羊"都表示这个字的意思。 The "鱼" and "羊" together indicate the meaning of the word. 新鲜 xīnxiān, fresh; 鲜艳 xiānyàn, bright-coloured; gaily-coloured.
鲤 lǐ		carp, "里"是这个字的声旁。 The "里" is the sound element of the word. 鲤鱼 lǐ yú, carp.

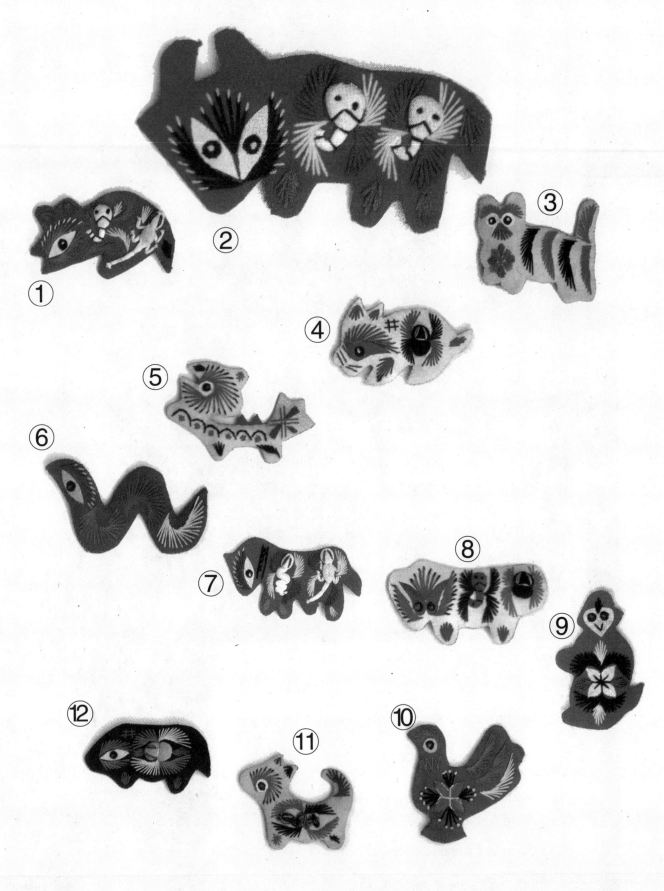

①鼠 ②牛 ③虎 ④兔 ⑤龙 ⑥蛇
⑦马 ⑧羊 ⑨猴 ⑩鸡 ⑪狗 ⑫猪

03 What's Your Name?

第三课 你叫什么名字?
dì sān kè nǐ jiào shénme míngzi

目标 Objectives

✔ 了解中国人姓和名的顺序、习惯特点

Understanding the order of Chinese surnames and first name

✔ 了解中国人的互称

Understanding how Chinese people address one another

✔ 中国五大姓

The five most common Chinese surnames

✔ 中国人名的特点

Characteristics of Chinese names

你 叫 什么 名字?

Nǐ jiào shénme míng zi?

What is your name?

我 正 跟 学生

Wǒ zhèng gēn xuésheng

谈话 呢。

tánhuà ne.

I am talking with my student.

我 叫 刘小明。

Wǒ jiào Liú Xiǎomíng.

My name is liu xiaoming.

老李和老 张

Lǎo lǐ hé lǎo zhāng

old Liu and old Zhang

第一部分

Part 1　　生词与短语　Words & Phrases

美国 měiguó	America	文化 wěnhuà	culture
妻子 qīzi	wife	习惯 xíguàn	custom
然后 ránhòu	after	该 gāi	should, ought to
结婚 jiéhūn	marry, get married	认识 rènshi	to know (a person)
变 biàn	change		

关键句　Key Sentences

你叫 什么 名字?
Nǐ jiào shénme míngzi?
What is your name?

在 中国， 我们 先 说 姓，然后 说 名。
Zài Zhōngguó, wǒmen xiān shuō xìng, ránhòu shuō míng.
In China we say our surname first, followed by our personal name.

怎么 您 的 姓 跟 他们 的 不一样 呢?
Zěnme nín de xìng gēn tāmen de bùyīyàng ne?
Why is your surname different from theirs' ?

实景对话　Dialogue

玛丽: 你们 好!
Mǎlì: Nǐmen hǎo!

刘老师: 你好! 你叫 什么 名字?
Liú lǎoshī: Nǐhǎo! Nǐ jiào shénme míngzi?

玛丽：我叫玛丽·赫本。

Mǎlì: Wǒ jiào Mǎlì · hēběn.

刘老师：这 位 是 我 的 妻子。这是 我的 孩子。

Liú lǎoshī: Zhè wèi shì wǒ de qīzi. Zhè shì wǒde háizi.

刘小明：你好! 我叫 刘小明。 在 中国， 我们 先 说 姓，

Liú Xiǎomíng: Nǐhǎo! wǒ jiào Liú xiǎomíng. Zài Zhōngguó, wǒmen xiān shuō xìng,

然后 说 名。

ránhòu shuō míng.

李平：你好, 玛丽。

Lǐ Píng: Nǐhǎo, Mǎlì.

玛丽：您好!

Mǎlì: Nínhǎo!

李平：我 姓 李,叫 李平。

Lǐ Píng: Wǒ xìng Lǐ, jiào Lǐ Píng.

玛丽：怎么 您 的 姓 跟 他们 的 不一样 呢?

Mǎlì: Zěnme nín de xìng gēn tāmen de bùyīyàng ne?

李平：是 的。我 姓 的 是 我 爸爸 的 姓, 在 中国， 女人

Lǐ Píng: Shì de. Wǒ xìng de shì wǒ bàba de xìng, zài Zhōngguó, nǚrén

结婚 后 姓 不变。

jiéhūn hòu xìng bú biàn.

玛丽：是 吗? 真 有意思! 我 觉得 这个 习俗 比较 好。

Mǎlì: Shì ma? Zhēn yǒu yìsi! Wǒ juéde zhège xísú bǐjiāo hǎo.

李平：我们 也 觉得 很 好。

Lǐ Píng: Wǒmen yě juéde hěn hǎo.

玛丽： 好 了，我 该 去 上课 了。很 高兴 认识 你们。
Mǎlì: Hǎo le, wǒ gāi qù shàngkè le. Hěn gāoxìng rènshi nǐmèn.

刘老师： 我们 也 很 高兴。再见！
Liú lǎoshī: Wǒmen yě hěn gāoxìng. Zàijiàn!

玛丽： 再见！
Mǎlì: Zàijiàn!

语言注释

位: classifier, used before people.

Mary: How do you do!
Teacher Liu: How do you do! What's your name?
Mary: My name is Mary Heben.
Teacher Liu: This is my wife, and this is my child.
Liu Xiaoming: How do you do! I am Liu Xiaoming. My surname is Liu, and my first name is Xiaoming. In China, we say our surname first, and then our first name.
Li Ping: How do you do! Mary.
Mary: How do you do!
Li Ping: My surname is Li, and I am Li Ping.
Mary: Why do you not have the same surname?
Li Ping: No, I follow my father's surname. In China, women keep their maiden name even after marriage.
Mary: Is that true? It's interesting. I like this custom.
Li Ping: We like this custom too.
Mary: OK. It is time to go to class. I am very glad to meet you.
Teacher Liu: We are very glad to meet you too. Good bye!
Mary: Good bye!

活 动 Activities

 口语任务 Speaking Tasks

Step ① 看图说话 Look at the Illustrations and Speak

你叫 什么 名字？
Nǐ jiào shénme míngzi?

这　是我　爸爸　和我　妈妈。
Zhè shì wǒ bàba hé wǒ māma.

认识　你我　很　高兴。
Rènshi nǐ wǒ hěn gāoxìng.

Step 2 连线搭配 Match

她叫
tājiào

他姓
tāxìng

一位
yīwèi

老李
lǎolǐ

王
wáng

小花
xiǎohuā

觉得挺好
juéde tǐnghǎo

教师
jiàoshī

Step 3 替换练习 Substitution

我 姓……，叫……。我 是…… Wǒ xìng　jiào　Wǒ shì	我 姓 王， 叫 王 小 华。我 是 学生。 Wǒ xìng Wáng, jiào Wáng Xiǎo huá. Wǒ shì xuésheng.		
	李 Lǐ	李明 Lǐ Míng	老师 lǎoshī
	张 Zhāng	张林 Zhāng Lín	医生 yīshēng

……跟……不一样。 gēn　bùyīyàng.	我的 姓 跟他的 姓 不一样。 Wǒde xìng gēn tāde xìng bùyīyàng.	
	他的 衣服 tāde yīfu	我的 衣服 wǒde yīfu

我们 先……，然后……	我们 先 说 姓，然后 说 名。
wǒmen xiān ránhòu	Wǒmen xiān shuō xìng, ránhòu shuō míng.
	吃饭 . 去看 朋友
	chīfàn qùkàn péngyou
	讲 生词 学 课文
	jiǎng shēngcí xué kèwén
我 觉得……	我 觉得 饭后 跑步 不好。
wǒ juē de	Wǒ juē de fànhòu pǎobù bùhǎo.
	在 床上 看书 不好
	zài chuángshāng kànshū bùhǎo
	喝酒 不好
	hējiǔ bùhǎo

 听力任务 Listening Tasks

Step 1 先听一遍录音，然后选择正确答案。Listen and then make a choice.

林华 约翰。
A. 认识 B. 不认识 C. 现在刚刚认识

约翰姓 。
A. 约 B. 约翰 C. 伊万

Step 2 再听一至两遍录音，然后选择正确答案。Listen again and then make a choice.

约翰的汉语会很好。
A. 一年以后 B. 半年以后 C. 两年以后

_____要去图书馆。

   A. 马克和林华　　　　B. 马克和约翰　　　　C. 林华和约翰

 交际任务 Communication Tasks

Step ① 角色扮演 Role-Play

角 色 Role

一个中国学生跟一个外国学生

A Chinese student and a foreign student

任 务 Assignment

这两个学生第一次见面。他们互相介绍姓、名、国籍等。

The two students are meeting for the first time. They introduce each other's surnames, first names and nationalities.

Step ② 交际体验 Communication Practice

马克的新朋友约翰刚到中国，马克告诉他，在中国，姓在名的前边。而且，中国女人结婚后不改姓。

题目：中国人的姓在前边!

Mark's friend Jone has just arrived in China. Mark tells him surnames are first in China. Mark also tells him that women in China keep their maiden name even after marriage.

Topic: Chinese surnames go first!

第二部分

Part 2 生词与短语 Words & Phrases

因为 yīnwèi	because		最近 zuìjìn	recently
年轻 niánqīng	young		教授 jiàoshòu	professor
所以 suǒyǐ	therefore		各位 gèwèi	everyone

关键句 Key Sentences

你 姓 林 还是 名字 叫 小林？
Nǐ xìng Lín háishi míngzi jiào xiǎolín?
Is your surname Lin or your first name Lin?

我 姓林，因为 年轻，所以 刘老师 叫 我 小林。
Wǒ xìng Lín, yīnwèi niánqīng, suǒyǐ Liú lǎoshī jiào wǒ xiǎo Lín.
My surname is Lin, because of my age, Teacher Liu calls me "little" Lin.

我 正 跟 学生 谈话 呢。
Wǒ zhèng gēn xuésheng tánhuà ne.
I am talking with my students.

实景对话 Dialogue

(刘老师 跟 林华、马克在 路边 交谈)
(Liú lǎoshī gēn Lín Huá、Mǎkè zài lùbiān jiāotán)

刘老师： 小林 啊，在 看 外语 书 吗？
Liú lǎoshī: XiǎoLín a, zài kàn wàiyǔ shū ma?

语言注释

刘老师: Liu is the teacher's surname. In Chinese surnames are put before a person's occupation. For example, 李医生.

小: a prefix used when addressing younger people. It demonstrates kindness and caring.

林华： 是的，刘老师。
Lín Huā: Shì de, Liú lǎoshī.

马克： 你 姓 林 还是 名字 叫 小林？
Mǎkè: Nǐ xìng Lín háishi míngzi jiào xiǎolín?

林华： 我 姓 林， 因为 年轻， 所以 刘老师 叫 我 小林。
Lín Huā: Wǒ xìng Lín, yīnwèi niánqīng, suǒyǐ Liú lǎoshī jiào wǒ xiǎoLín.

(这时，一位 王 教授 走过 来了)
(Zhèshí, yīwèi Wáng jiàoshòu zǒu guō lái le)

王教授： 嗨， 老刘 啊，你 最近 好吗？
Wáng jiàoshòu: Hāi, lǎoLiú a, nǐ zuìjìn hǎoma?

刘老师： 啊,是 老王， 我 很好。我 正 跟 学生 谈话
Liú lǎoshī: Á, shì lǎoWáng, wǒ hěnhǎo. Wǒ zhèng gēn xuésheng tánhuà
呢。
ne.

| 语言注释 |
| 老： a prefix used to address older people which also demonstrates kindness and respect. |

马克： 老王 好!
Mǎkè: Lǎowāng hǎo!

林华： 王 教授 好!
Lín Huā: Wáng jiàoshòu hǎo!

刘老师： 哈哈! 马克,你 不能 叫 他 老王， 如果 你 也 六十岁，
Liú lǎoshī: Hāha! Mǎkè, nǐ bùnéng jiào tā lǎoWáng, rúguǒ nǐ yě liùshísuì,
你 可以 那么 叫。你 该 叫 他 王 教授。
nǐ kěyǐ nàme jiào. Nǐ gāi jiào tā Wáng jiàoshòu.

马克： 真 对不起, 王 教授。
Mǎkè: Zhēn duìbùqǐ, Wáng jiàoshòu.

王教授： 没关系。好了，各位，我还有事，先走了，再见！

Wáng jiàoshòu: Méiguānxi. Hǎo le, gè wèi, wǒ hái yǒu shì, xiān zǒu le, zài jiàn!

刘老师、林华、马克： 好，再见！

Liú lǎoshī、Lín Huá、Mǎkè: Hǎo, zài jiàn!

Teacher Liu:	Xiao Lin, are you reading a foreign language book?
Lin Hua:	Yes, I am, Professor Liu.
Mark:	Is your family name Lin or your first name Xiao Lin?
Lin Hua:	My family name is Lin. Since I am younger than Professor Liu, he calls me Xiaolin.
Professor Wang:	Hello, Lao Liu, how are you doing?
Teacher Liu:	Hello, Lao Wang, I am fine. I am talking to my students.
Mark:	Hello, Lao Wang.
Lin Hua:	Hello, Professor Wang.
Teacher Liu:	Ha-ha, Mark, you should not call him Lao Wang except you are over sixty's. You should call him Professor Wang.
Mark:	I am sorry, Professor Wang.
Professor Wang:	Never mind. OK, I have to go. Goodbye.
Teacher Liu、Lin Hua、Mark:	Goodbye.

活 动 Activities

口语任务 Speaking Tasks

Step 1 连线搭配 Match

看 kàn   谈 tán   吃 chī   认识 rènshi

老师 lǎoshī   包子 bāozi   书 shū   电影 diànyǐng

Step 2　选词填空 Fill in the Blanks

跟　　　　叫
最近　　　认识
习惯　　　该

◆ 我不 _____ 他，请你介绍一下儿。

◆ 我的 _____ 是早起床，早睡觉。

◆ 已经七点五十分了，_____ 去学校上课了。

◆ 你弟弟 _____ 什么名字？

◆ 我们的文化 _____ 他们的不一样。

◆ _____ 我爷爷身体不很好。

Step 3　替换练习 Substitution

你好！这是…… Nǐ hǎo! Zhè shì	你好！这是我 朋友 老王。 Nǐ hǎo! Zhè shì wǒ péngyou LǎoWáng.
	我 女 朋友 王兰 wǒ nǚ péngyou WángLán
你该叫他…… nǐ gāi jiào tā	你该叫他 王 教授。 Nǐ gāi jiào tā Wáng jiàoshòu.
	张 叔叔 Zhāng shūshu
……最近…… zuìjìn	你 妈妈 最近 好 吗？ Nǐ māma zuìjìn hǎo ma?
	刘 老师 忙 Liú lǎoshī máng

如果 …… 也(就) ……	如果 你不去，我也(就)不去。
rúguǒ yě (jiù)	Rúguǒ nǐ bùqù, wǒ yě (jiù) bùqù.
	下雨 不去 学校
	xiàyǔ bù qù xuéxiào
因为 …… 所以 ……	因为 他很 帅，所以 我 喜欢 他。
yīnwèi suǒyǐ	Yīnwèi tā hěn shuài, suǒyǐ wǒ xǐhuan tā.
	她是 日本 人 她学 汉字 很快
	tā shì Rìběn rén tā xué hànzì hěnkuài
…… 还 ……	你 喝茶 还是 咖啡?
hái	Nǐ hēchá háishi kāfē?
	你在家 呆着 出去 玩
	nǐ zàijiā dāizhe chūqù wán

 听力任务 Listening Tasks

Step 1 先听一遍录音，然后选择。Listen and then make a choice.

马克和马洪的姓▨▨▨▨▨▨▨。

A. 一样　　　　　　B. 不一样　　　　　　C. 差不多

马克是马洪的▨▨▨▨▨▨。

A. 哥哥　　　　　　B. 弟弟　　　　　　C. 朋友的朋友

Step 2 再听一至两遍录音，然后选择。Listen again and then make a choice.

马克在看书，▨▨▨▨▨▨▨。

A. 他不去打球，他要休息　　　　　B. 他不去打球，他正准备考试

C. 他要去打球，回来准备考试

▨▨▨▨▨▨▨要帮助马克复习。

A. 马洪　　　　　　B. 林华　　　　　　C. 林华和马洪

交际任务 Communication Tasks

Step 1 角色扮演 Role-Play

> **角 色 Role**
>
> 一个老教授和一个学生
> An old professor and a student
>
> **任 务 Assignment**
>
> 他们在街上见面了，互相打招呼。注意一老一小如何互相打招呼。
>
> The professor and student run into one another on the street and say hello. Pay attention to the example of the older and younger person greeting one another.

Step 2 交际体验 Communication Practice

一名中国学生和他的外国朋友去王教授家，并向教授介绍他的外国朋友。教授向他们介绍自己的家人，然后他们一起喝茶、听音乐。

题目：见到你很高兴。

A Chinese student and his foreign friend go to visit the home of Professor Wang. Professor Wang introduces them his family. They drink tea together, talk and listen to music.

Topic: It's nice to meet you.

文化窗口 Culture Window

A

中国人一般姓父亲的姓，也有很少数的人姓母亲的姓。女人结婚之后，仍然保留自己的姓。

B

中国人的姓有单姓与复姓之分。张、王、李、赵、刘是最多见的单姓。诸葛、欧阳、端木、公孙是最常见的复姓。

A Most Chinese people take their father's surname, a small minority take their mother's name. After marriage women keep their maiden name.

B Chinese have single and compound surnames. The most common single surnames are Zhang, Wang, Li, Zhao and Liu. The most common compound are Zhuge, Ouyang, Duanmu and Gongsun.

C First names are also one or two characters. For examples: Wang Ping, Li Ming, Zhang Hua, Li Xiaoshan and Zhao Pingping.

C 中国人的名字一般由两个汉字或者一个汉字组成。如：王平，李明，李小山，赵平平等。

 文化拓展 General Knowledge of Chinese Culture

How can you catch tiger cubs without entering the tiger's lair? fig. Nothing ventured, nothing gained.

不 入 虎 穴 —— 焉 得 虎 子
bù rù hǔxué   yān dé hǔzǐ

学汉字 Word Formation

女 nǚ

woman, female, 像一个女人的样子。
The character looks like the figure of a woman.

姓 xìng

surname, "生" 是这个字的声旁。
The "生" is the sound element of the word.
姓名 xìngmíng, name; 贵姓 guìxìng, honorable surname.

嫁 jià

get married, "家" 是这个字的声旁。
The "家" is the sound element of the word.
婚嫁 hūnjià, marriage; 出嫁 chūjià, get married

04 May You Remain Happily Married to a Ripe Old Age!

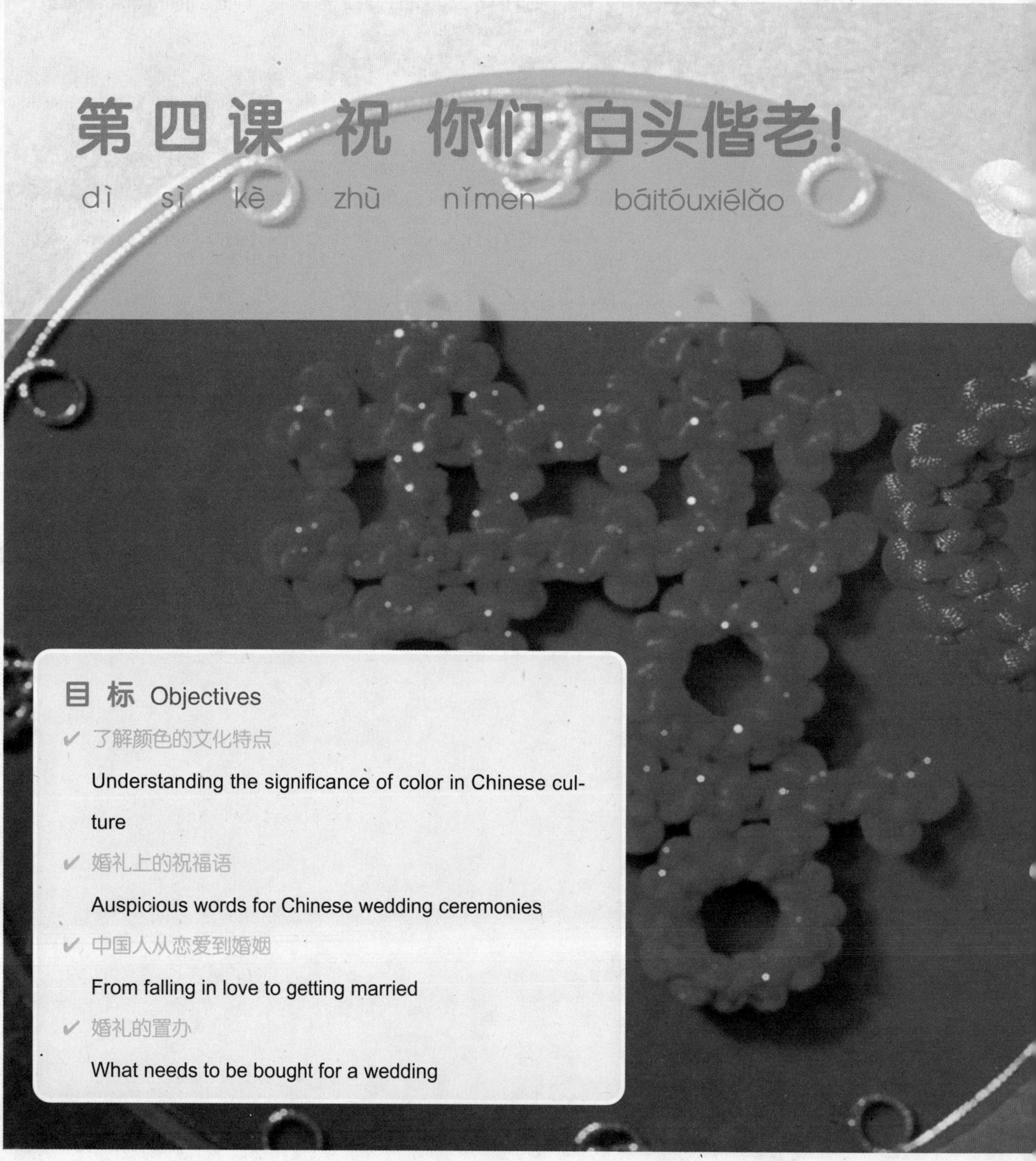

第四课 祝 你们 白头偕老！
dì sì kè zhù nǐmen báitóuxiélǎo

目 标 Objectives

✔ 了解颜色的文化特点

Understanding the significance of color in Chinese culture

✔ 婚礼上的祝福语

Auspicious words for Chinese wedding ceremonies

✔ 中国人从恋爱到婚姻

From falling in love to getting married

✔ 婚礼的置办

What needs to be bought for a wedding

红双喜
hóngshuāngxǐ
double happiness

（着古装的）新郎　新娘
xīnláng xīnniáng
bride and groom

新房
xīnfáng
bridal chamber

Part 1　　生词与短语　Words & Phrases

试衣服 shì yīfu	try on clothes	喜庆 xǐqìng	happy celebration
参加 婚礼 cānjiā hūnlǐ	attend a wedding	新娘 xīnniáng	bride
可是 kěshì	but, yet, however	新郎 xīnláng	groom
蓝色 lánsè	blue	婚纱 hūnshā	wedding gown
黑色 hēisè	black	葬礼 zànglǐ	funeral
颜色 yánsè	colour	新房 xīnfáng	bridal chamber

关键句　Key Sentences

参加 (一个) 婚礼。
Cānjiā (yīgè) hūnlǐ.
Attend a wedding.

因为 今天 我 要 去 参加 婚礼。
Yīnwèi jīntiān wǒ yào qù cānjiā hūnlǐ.
Because I have to attend a wedding today.

我们　穿　什么 颜色 的 都 可以。
Wǒmen chuān shénme yánsè de dōu kěyǐ.
We can wear any color we want.

实景对话　Dialogue

玛丽：　张梅，　你在忙　什么呢？
Mǎlì:　Zhāng Méi, nǐ zài máng shénme ne?

张梅：　我在试衣服呢。你看看我　穿　这件衣服怎么样？
Zhāng Méi:　Wǒ zài shì yīfu ne. Nǐ kànkan wǒ chuān zhè jiàn yīfu zěnmeyàng?

玛丽：　太红了！我觉得　旁边　那件浅　蓝色和黑色的
Mǎlì:　Tài hóng le! Wǒ juéde pángbiān nà jiàn qiǎn lánsè hé hēisè de

都　不错。你　为什么　不试试呢？
dōu búcuò. Nǐ wèishénme bú shìshi ne?

张梅：　我不太喜欢　蓝色。黑色的可　不能　穿，　因为　今天
Zhāng Méi:　Wǒ bú tài xǐhuan lánsè. Hēisè de kě bùnéng chuān, yīnwèi jīntiān

我　要　去参加　婚礼。
wǒ yào qù cānjiā hūnlǐ.

玛丽：　为什么？　在　我们　国家，穿　什么　颜色的都可
Mǎlì:　Wèishénme? Zài wǒmen guójiā, chuān shénme yánsè de dōu kě

以，漂亮　就行。
yǐ, piàoliang jiù xíng.

张梅：　在　中国，　新娘　要　穿　白色　婚纱和　红色　旗袍。
Zhāng Méi:　Zài Zhōngguó, xīnniáng yào chuān báisè hūnshā hé hóngsè qípáo.

参加婚礼的人一般　要　穿　喜庆的颜色，不穿
Cānjiā hūnlǐ de rén yìbān yào chuān xǐqìng de yánsè, bù chuān

黑色，白色也很少。　因为在　很多　地方，参加葬礼
hēisè, báisè yě hěn shǎo. Yīnwèi zài hěnduō dìfang, cānjiā zànglǐ

时，人们　才　穿　白色　和黑色。
shí, rénmen cái chuān báisè hé hēisè.

玛丽： 是 嘛！
Mǎlì： Shì ma!

张梅： 在 中国， 结婚时 红色 是 最 重要 的 颜色。
Zhāng Méi： Zài Zhōngguó, jiéhūn shí hóngsè shì zuì zhòngyào de yánsè.

玛丽： 真 有意思，我 能 跟 你 去 参加 那个 婚礼 吗？
Mǎlì： Zhēn yǒu yìsi, wǒ néng gēn nǐ qù cānjiā nàge hūnlǐ ma?

张梅： 没问题， 新娘 和 新郎 是 我 的 好朋友， 我 还 可
Zhāng Méi： Méiwèntí, xīnniáng hé xīnláng shì wǒ de hǎopéngyou, Wǒ hái kě

以带 你 去 参观 新房。
yǐ dài nǐ qù cānguān xīnfáng.

玛丽： 太 好 了！那 我 也 要 穿 一件 漂亮 衣服。
Mǎlì： Tài hǎo le! Nà wǒ yě yào chuān yījiàn piàoliang yīfu.

语言注释

怎么样: at the end of sentences mean "what do you think?" or "is it okay?"
"那" and "那么" express "in that case" or "in that way".

Mary: Zhang Mei, what are you busy with?
Zhang Mei: I am trying to find a new dress. I am going to attend a wedding. How do I look by wearing this dress?
Mary: The color is too bright. The blue one is much better. Try it on. The black one is also beautiful.
Zhang Mei: I don't like the color of blue. The color of black is not suitable, because this is a wedding.
Mary: Why? In our country, we can wear any color we want, such as white, black, green, purple, and yellow.
Zhang Mei: In China, the bride often wears white wedding gown or red cheong-sam. In a wedding, we often use the color of happy. But we never wear black. White is also infrequent. White and black are the color of funeral in some places.
Mary: Really?
Zhang Mei: In China, the main color of wedding is red.
Mary: It's interesting. Can I attend your friends'wedding?
Zhang Mei: No problem. The bride and the groom are good friends of me. I can show you their bridal chamber.
Mary: That's great! I will wear a pretty dress too.

活 动 Activities

口语任务 Speaking Tasks

Step 1 看图说话 Look at the Illustrations and Speak

参观　　新房
cānguān xīnfáng

我　要　去　参加　婚礼
wǒ yào qù cānjiā hūnlǐ

新娘　和 新郎　是 我 的 好　朋友
xīnniáng hé xīnláng shì wǒ de hǎopéngyou

Step 2 连线搭配 Match

参加　　　　　试　　　　忙　　　　　欢迎
cānjiā　　　　shì　　　　máng　　　huānyíng

客人　　　　　工作　　　　衣服　　　　婚礼
kèrén　　　　gōngzuǒ　　yīfu　　　　hūnlǐ

Step 3 替换练习 Substitution

v. v. (单音节动词重叠)	我　要　试试　这 件 衣服。 Wǒ yào shìshi zhè jiān yīfu.
	听听　　这首歌 tīngting zhè shǒu gē
什么……都 shénme　dōu	穿　　什么　颜色 都　行。 Chuān shénme yánsè dōu xíng.
	听　　　　音乐　　　可以 tīng　　　yīnyuè　　kěyǐ

……得……才行 děi cáixíng	这 孩子 得 好好 学习 才行。 Zhè háizi děi hǎohao xuéxí cáixíng.
	每天 好好 上课 měitiān hǎohao shàngkè
今天 要…… jīntiān yào	妈妈 今天 要 参加 朋友 的 婚礼。 Māma jīntiān yào cānjiā péngyou de hūnlǐ.
	妹妹 参加 汉语 考试 mèimei cānjiā hànyǔ kǎoshì

听力任务 Listening Tasks

Step 1 先听一遍录音，然后选择正确答案。Listen and then make a choice.

李萍今天很累，因为 ⬛⬛⬛⬛⬛⬛。

A. 她工作很忙　　B. 她出去买衣服了　　C. 她参加了朋友的婚礼

婚礼进行了 ⬛⬛⬛⬛。

A. 大约6个小时　　B. 大约一天　　　　C. 大约12个小时

Step 2 再听一至两遍录音，然后选择正确答案。Listen again and then make a choice.

他们今天没有 ⬛⬛⬛⬛。

A. 看电影　　B. 唱歌　　C. 聊天　　D. 吃饭

新郎是李萍的 ⬛⬛⬛⬛。

A. 男朋友　　B. 大学同学　　C. 以前的男朋友

交际任务 Communication Tasks

Step 1 角色扮演 Role-Play

角 色 Role
两个国别不同的学生　Two students from different countries

任 务 Assignment
谈论他们对颜色的不同喜好。
Discuss their preferences for different colors.

Step 2 交际体验 Communication Practice

安娜是美国留学生。她要去参加一个中国朋友的婚礼。路上，她遇上一个朋友，朋友告诉她不能穿黑色的衣服参加婚礼。
题目：穿黑衣服怎么不行啊？

Anna is an American student who is going to attend a Chinese friend's wedding. On the way, another friend sees her and informs her black is unacceptable to wear on a Chinese wedding.
Topic: Why can't I wear black?

第二部分
Part 2 生词与短语 Words & Phrases

新人 xīnrén	newlywed
祝 zhù	wish someone something (as in "good luck")
永远 yǒngyuǎn	forever
美满 měimǎn	happy, perfectly, satisfactory
早生贵子 zǎoshēngguìzǐ	have a baby soon

白头偕(到)老 báitóu xié (dāo) lǎo	live to a ripe old age in conjugal bliss(a couple falling in love and grow old together)
浪漫 làngmàn	romantic
相信 xiāngxìn	believe, have confidence in
举行 jǔxíng	host(an event)

关键句 Key Sentences

祝 你们 永远 幸福！
Zhù nǐmen yǒngyuǎn xìngfú!
Wish you always be happy!

我们　打算　去 拉萨 旅行 结婚。
Wǒmen dǎsuan qù Lāsà lǚxíng jiéhūn.
We are planning to go to Lhasa to have a traveling wedding.

实景对话 Dialogue

(在 婚礼 现场)
(Zài hūnlǐ xiānchǎng)

新娘:	张梅，　你来了! 哦, 还有 你的 朋友，　欢迎　欢迎!
Xīnniáng:	Zhāng Méi, nǐ lái le!　Ò, hái yǒu nǐ de péngyou, huānyíng huānyíng!

张梅:	祝 你们　　新婚美满，　白头偕老! 早生贵子!
Zhāng Méi:	Zhù nǐmen xīnhūnměimǎn, báitóuxiélǎo! Zǎoshēngguìzǐ!

玛丽:	祝 你们　永远幸福!
Mǎlì:	Zhù nǐmen yǒngyuǎnxìngfú!

新娘:	谢谢, 谢谢 你们!
Xīnniáng:	Xièxie, xièxie nǐmen!

玛丽:	张梅，　你们　相信 白头 到 老 吗?
Mǎlì:	Zhāng Méi, nǐmen xiāngxìn báitóu dào lǎo ma?

张梅:	是 的, 我们　相信　爱情。我们　每个人　都　希望
Zhāng Méi:	Shì de, wǒmen xiāngxìn àiqíng. Wǒmen měigèrén dōu xīwàng
	能　和自己的爱人 白头　到 老。
	néng hé zìjǐ de àiren báitóu dào lǎo.

玛丽:	好　浪漫。
Mǎlì:	Hǎo làngmàn.

新娘:	张梅，　你 什么 时候 结婚啊?
Xīnniáng:	Zhāng Méi, nǐ shénme shíhou jiéhūn a?

张梅:	一个 月 以后 吧。我们　打算 去 拉萨 旅行 结婚，那样
Zhāng Méi:	Yīgè yuè yǐhòu ba. Wǒmen dǎsuan qù lāsà lǚxíng jiéhūn, nà yàng

简单 一些。

jiǎndān yī xiē.

新娘: 太 好 了! 让 我们 干 一杯!

Xīnniáng: Tài hǎo le! Ràng wǒmen gān yìbēi!

语言注释

拉萨: Lhasa, the capital of Tibetan Autonomous Region, located in western China.

Bride: Zhang Mei, Thanks for coming. Is this your friend? Welcome!

Zhang Mei: I wish you happy , live to old age in conjugal bliss and have a baby soon.

Mary: I wish you happy forever.

Bride: Thank you, thank you.

Mary: Zhang Mei, do you believe a couple can live to old age in conjugal bliss?

Zhang Mei: Yes, I do. We believe in love. And every couple has the hope of living to old age in conjugal bliss.

Mary: How romantic is it!

Bride: Zhang Mei, when will you get married?

Zhang Mei: One month later. We are not going to hold a wedding ceremony. We plan to go to Lhasa to have a traveling wedding. We want it be simple.

Bride: It's wonderful! Cheers!

活　动　Activities

口语任务 Speaking Tasks

Step 1 连线搭配 Match

| 举行 | 为健康 | 欢迎 | 婚姻 |
| jǔxíng | wèijiànkāng | huānyíng | hūnyīn |

| 干杯 | 美满 | 大家 | 婚礼 |
| gānbēi | měimǎn | dàjiā | hūnlǐ |

Step 2 选词填空 Fill in the Blanks

◆ 　　　　你们新婚快乐!

◆ 我会　　　　记住你。

◆ 他们的生活很　　　　。

◆ 今天晚上我们要　　　　一个晚会。

◆ 那是个非常　　　　的婚礼。

◆ 我不　　　　他的话。

相信	永远
祝	举行
幸福	浪漫

Step 3 替换练习 Substitution

祝　你们…… zhù nǐmen	祝　你们 白头偕老 Zhù nǐmen báitóuxiélǎo
	一生平安 yīshēngpíng'ān
为……干杯 wèi　gānbēi	来，为　我们　的友谊，干杯! Lái, wèi wǒmen de yǒuyì, gānbēi!
	我们　的　前程 wǒmen de qiánchéng
	我们　的　健康 wǒmen de jiànkāng
你　打算　什么　时候…… nǐ dǎsuan shénme shíhou	你　打算　什么　时候 结婚? Nǐ dǎsuan shénme shíhou jiéhūn?
	回　老家 huí lǎojiā
	工作 gōngzuò

 听力任务 Listening Tasks

Step 1 先听一遍录音，然后选择正确答案。Listen and then make a choice.

小林和他女朋友是 ▢▢▢▢ 。
A. 小学同学　　　B. 大学同学　　　C. 中学同学

小林准备 ▢▢▢▢ 结婚。
A. 今年七月　　　B. 今年十月　　　C. 明年七月

Step 2 再听一至两遍录音，然后选择正确答案。Listen again and then make a choice.

小林和他的女朋友认识 ▢▢▢▢ 。
A. 一年多　　　B. 两年多　　　C. 三年多　　　D. 四年多

毕业后小林要 _____。

A. 留在大城市工作和生活　　　　　B. 回到小城市工作和生活

C. 找一个女朋友

交际任务 Communication Tasks

Step 1 角色扮演 Role-Play

角 色 Role

三个学生 Three students

任 务 Assignment

讨论什么是爱情?有没有真正的爱情?

They are talking about the meaning of love? Does real love exsit?

Step 2 交际体验 Communication Practice

今天安娜在一个中国人的婚礼上。她穿着中式服装。她对人们打招呼的方式也很感兴趣。

题目: 我参加了中国人的婚礼。

Today, Anna is at one of her Chinese friends' wedding. She wears Chinese clothing. She think it is really interesting how people greet each other.

Topic:I attended a Chinese wedding.

文化窗口 Culture Window

A　Chinese people take dating and marriage very seriously. Because they see dating as way to lead to a marriage, therefore, they are very serious about it. They usually inform their parents who they are dating. They need the approvement of their parents. In China, what parents think about their dates is very important.

一般中国人对于恋爱、婚姻是很严肃的。因为他们的恋爱是以婚姻为最终目的的，所以，从一开始他们就比较认真，一般还要及时告诉双方的父母家人，征得他们的同意。在中国，父母的意见是非常重要的。

B　In China, by law a man can legally get married at age 22, and a woman can get married at age 20. Once they reach this age, they can go and get their marriage license. Chinese law only protects legally married couples rights, it does not protect couples that are living together without a marriage license.

中国人的法定结婚年龄是男性22周岁，女性20周岁。到了这个年龄，就可以申请登记结婚。中国法律只保护合法夫妻的利益，而不保护事实上的同居关系的双方的利益。

C　In China, depending on where you are from, wedding ceremonies vary. This is because the social status between people is vastly different. A wedding must have a wedding banquet and wedding cars. Wedding cars must follow each other in a row. Some weddings have more than twenty to thirty cars, but never less than five cars. Some wedding banquets are very big and some are small. Guests must either give wedding gifts or give cash in a sealed red envelope. Nowadays, some Chinese like to travel and get married, and some like to have group weddings.

在中国，婚礼的置办因地区、社会阶层而有比较大的差异。一般要有婚车和婚宴。婚车是一列车队，多到二三十辆，少的也有五辆左右。婚宴也是有大有小。被邀请的客人会送上礼物或装有现金的红包。现在也有人旅行结婚，或举行集体婚礼等。

文化拓展 General Knowledge of Chinese Culture

守　株　待　兔
shǒu zhū dài tù

> Stand by a stump waiting for more hares to come and dash themselves against it.(fig.) wait for a windfall;trust in chance and strokes of luck.

学汉字 Word Formation

目 mù		eye, 像眼睛竖起来的样子。 The character looks like the shape of an eye.
眼 yǎn		eye, "艮" 是这个字的声旁。 The "艮" is the sound element of the word. 眼睛 yǎnjīng, eye; 眼光 yǎnguāng, eye, sense of judgement.
盲 máng		blind, "亡" 是这个字的声旁。 The "亡" is the sound element of the word. 盲人 mángrén, blind person; 盲目 mángmù, blind, do sth. without knowing what one's doing.

05 Come Visit Often if You Like

第五课 有空常来玩

dì wǔ kè yǒukòng cháng lái wán

目 标 Objectives

✔ 了解做客的风俗和客套话

Understanding the custom and the formulas of being a guest

✔ 熟悉亲属称谓的主要特点

Getting familiar with the titles of relatives

茅台酒
mǎotái jiǔ
Mao-tai

T 恤
T xù
T-Shirt

水果
shuǐguǒ
fruit

爷爷奶奶 和我
yéye nǎinai hé wǒ
grandmother(father's mother),
grandfather(father's father) and
me

第 一 部 分

Part 1　　生词与短语　Words & Phrases

打 电话 dǎ diànhuà	make a tele-phone call
不用 bùyòng	never mind, don't trouble yourself
有空 yǒukòng	have time
茅 台 酒 Máotāi jiǔ	Maotai, China's most famous liquor from Guizhou Province

喝酒 hējiǔ	drink alcohol
平常 píngcháng	ordinary
T 恤 xù	T-Shirt
水果 shuǐguǒ	fruit

关 键 句　Key Sentences

你们 给 李明 打 电话 了吗?
Nǐmen gěi LǐMíng dǎ diànhuà le ma?
Have you phoned Li Ming yet?

他 叫 我们 有空 就去 玩。
Tā jiào wǒmen yǒukòng jiù qù wán.
He said we are welcome anytime we go.

茅台 酒太 贵 了,不合适。
Máotāi jiǔ tài guì le, bù héshì.
Maotai is too expensive, it's not suitable.

实景对话 Dialogue

林华: 马克，我们 去 李明 家玩。你去吗?
Lín Huá: Mǎkè, wǒmen qù Lǐ Míng jiā wán. Nǐ qù ma?

马克: 我也 想 去。你们 给 李明 打 电话 了吗?
Mǎkè: Wǒ yě xiǎng qù. Nǐmen gěi Lǐ Míng dǎ diànhuà le ma?

林华: 不 用 了，今天，他叫 我们 有空 就去 玩 呢。
Lín Huá: Bū yòng le, Jīntiān, tā jiào wǒmen yǒukōng jiù qù wán ne.

马克: 那好，我和你们 一起 去。
Mǎkè: Nà hǎo, wǒ hé nǐmen yī qǐ qù.

林华: 等等， 我们 买点 东西 去吧。
Lín Huá: Děngděng, wǒmen mǎi diǎn dōngxi qù ba.

马克: 好。 听说 中国 的茅台酒 很 有名，我们 买一
Mǎkè: Hǎo. Tīngshuō Zhōngguó de Máotái jiǔ hěn yǒumíng, wǒmen mǎi yī

瓶 吧。
píng ba.

林华: 茅台酒 太贵了，不合 适。他们 以为 我们 想 喝酒了。
Lín Huá: Máotái jiǔ tài guì le, bū hé shì. Tāmen yǐwéi wǒmen xiǎng hējiǔ le.

马克: 那 我们 给他买一件T恤吧。
Mǎkè: Nà wǒmen gěi tā mǎi yī jiàn T xù ba.

林华: 也不太好，我们 不习惯 送 这个。我们 还是 买 点
Lín Huá: Yě bū tài hǎo, wǒmen bū xíguàn sòng zhège. Wǒmen háishi mǎi diǎn

水果 和 饮料 吧。
shuǐguǒ hé yǐnliào ba.

马克: 好，就 这样 吧。
Mǎkè: Hǎo, jiù zhèyàng ba.

Lin Hua: Mark, we are going to go to Li Ming's home. Will you go with us?

Mark: I'd love to go. Have you called Li Ming yet?

Lin Hua: We don't have to. He told us that we can visit his home any time we want.

Mark: OK. I will go with you.

Lin Hua: Wait. Should we buy something?

Mark: Yes, you are right. It is said that Maotai is quite famous in China. We can buy one bottle of Maotai.

Lin Hua: Maotai is too expensive. It's not suitable. He will feel that we want to drink.

Mark: How about buying a T-shirt for him?

Lin Hua: It's not good. It's not our practice to give people this present. We can buy some fruits and drinks.

Mark: OK. Be it so.

活 动 Activities

口语任务 Speaking Tasks

Step 1 看图说话 Look at the Illustrations and Speak

喂, 你 好!
Wèi, nǐ hǎo!

买 什么?
Mǎi shénme?

买 点 水果 和 饮料 吧!
Mǎi diǎn shuǐguǒ hé yǐnliào ba!

Step 2 连线搭配 Match

| 送 sòng | 打 dǎ | 买 mǎi | 喝 hē |

电话 diànhuà   东西 dōngxi   酒 jiǔ   礼物 lǐwù

Step 3 替换练习 Substitution

给 + sb. + v. …… gěi	给 李明 打 电话。 Gěi Lǐ Míng dǎ diànhuà.
	奶奶 买 礼物 nǎinai mǎi lǐwù
	弟弟 修 车 dìdi xiū chē
叫 + sb. + v. …… jiào	叫 我们 去 玩。 Jiào wǒmen qù wán.
	妹妹 回家 mèimei huíjiā
	老师 帮忙 lǎoshī bāngmáng
…… 以为 …… yǐwéi	他们 以为 我们 想 喝酒。 Tāmen yǐwéi wǒmen xiǎng hē jiǔ.
	老师 你 回家了 lǎoshī nǐ huíjiā le
	妈妈 妹妹 饿了 māma mèimei è le

听力任务 Listening Tasks

Step 1 先听一遍录音，然后选择正确答案。Listen and then make a choice.

林华和妈妈准备去超市买 _____。

A.茅台 B.啤酒 C.牛奶 D.饮料 E.牛肉 F.猪肉 G.苹果 H.蔬菜

Step 2 再听一至两遍录音，然后选择正确答案。Listen again and then make a choice.

林华和妈妈没有买茅台酒是因为 _____。

A. 太贵了　　　　　B. 家里还有　　　　　C. 家里没人喝

交际任务 Communication Tasks

Step 1 角色扮演 Role-Play

角 色 Role
老师和学生 Teacher and Student

任 务 Assignment
开学了，学生去拜访老师，学生询问中国做客的习俗，老师回答，并且询问他们国家的风俗习惯。

School has started, students visit the teacher and ask about customs for greeting guests in China. The teacher answers their questions and then asks all the students to talk about customs for greeting guests and gift giving in their countries.

Step 2 交际体验 Coummunication Practice

留　学生卡尔今天和他的中国同学林华一起去医院探望刘老师

题目：祝您早日康复！

Today, Karl and his classmate Lin Hua go to hospital to visit teacher Liu.

Topic: May you recuperate soon.

第二部分

Part 2   生词与短语   Words & Phrases

叔叔 shūshu	uncle(father's younger brother)	姥姥 lǎolao	grandmather (mother's mother)
辈分 bèifen	position in the family heirarchy	姑姑 gūgu	auntie (father's sister)
年龄 niánlíng	age	伯父 bófù	uncle (father's elder brother)
阿姨 āyí	auntie	舅舅 jiùjiu	uncle (mother's brother)
姥爷 lǎoye	grandfather (mother's father)	分别 fēnbié	difference
外公 wàigōng	grandfather (mother's father)	称谓 chēngwèi	title
外婆 wàipó	grandmather (mother's mother)	称呼 chēnghu	call, address(how one addresses the other)

关键句　Key Sentences

不同　的 语言 有　不同　的　称谓。
Bùtóng de yǔyán yǒu bùtóng de chēngwèi.
Different languages have different titles.

我们　该 回去 了。
Wǒmen gāi huí qù le.
We should be heading back now.

有空　常　来 玩。
Yǒukōng cháng lái wán.
Come visit often if you like.

实景对话 Dialogue

(林华 和马克 一起去 李明 家里 做客)
(Lín Huá hé Mǎkè yīqǐ qù Lǐ Míng jiālǐ zuòkè)

林华: 叔叔、阿姨, 你们 好。
Lín Huá: Shūshu、āyí, nǐmen hǎo.

李明的爸爸妈妈: 你们 来了, 快 请进。
Lǐ Míng de bàba māma: Nǐmen lái le, kuài qǐngjìn.

马克: (小声 地) 叔叔? 不是 对 爸爸 的 弟弟才
Mǎkè: (xiǎoshēng de) Shūshu? Bù shì duì bàba de dìdi cái

叫 叔叔 吗?
jiào shūshu ma?

林华: 也 不一定, 对和爸爸辈分 相同 而且
Lín Huá: Yě bù yīdìng, duì hé bàba bèifen xiāngtóng érqiě

年龄 差不多 的 人, 都可以 叫 叔叔。
niánlíng chàbuduō de rén, dōu kěyǐ jiào shūshu.

马克: 哦, 我 明白。 那么 阿姨也可以 用 来 称
Mǎkè: Ò, wǒ míngbai. Nàme āyí yě kěyǐ yòng lái chēng

呼 妈妈 的 姐姐或 妹妹 了?
hu māma de jiějie huò mèimei le?

林华: 不, 对 妈妈 的 姐妹 应该 称 姨或姨妈。
Lín Huá: Bù, duì māma de jiěmèi yīnggāi chēng yí huò yímā.

马克: 啊, 太 复杂 了。
Mǎkè: Á, tài fùzá le.

林华: (指着 墙上 的一张 全家福) 李明,
Lín Huá: (zhǐ zhe qiángshang de yì zhāng quán jiā fú) Lǐ Míng,

这　两位　是你姥姥和姥爷吗?
zhè liǎngwèi shì nǐ lǎolao hé lǎoye ma?

李明:　是的。
Lǐ Míng:　Shìde.

马克:　什么　是 "姥姥" 和 "姥爷" 呀?
Mǎkè:　Shénme shì "lǎolao" hé "lǎoye" ya?

李明:　"姥姥" 和 "姥爷" 就是 妈妈 的 妈妈 和
Lǐ Míng:　"lǎolao" he "lǎoye" jiūshì māma de māma hé

爸爸, 又 叫 "外婆" 和 "外公"。
bàba, yòu jiào "wàipó" hé "wàigōng".

马克:　哦,那 爸爸 的 父母 呢?
Mǎkè:　Ò,　nà bàba de fùmǔ ne?

林华:　爸爸 的 父母 叫 "爷爷" 和 "奶奶"。
Lín Huá:　Bàba de fùmǔ jiào "yéye" hé "nǎinai".

马克:　这么　说, 在　中国,　父亲 家的人和 母亲
Mǎkè:　Zhème shuō, zài Zhōngguó, fùqin jiā de rén hé mǔqīn

家的人　称谓　是不一样的。
jiā de rén chēngwèi shì bù yīyàng de.

李明:　是的,就 像　刚才　提到 的,妈妈 的 姐妹
Lǐ Míng:　Shìde, jiù xiàng gāngcái tídào de, māma de jiěmèi

叫 姨, 而 爸爸 的 姐妹 却 叫 姑姑。
jiào yí, ér bàba de jiěmèi què jiào gūgu.

林华:　还 有 呢, 爸爸 的 兄弟　叫 伯父 和 叔叔。
Lín Huá:　Hái yǒu ne, bàba de xiōngdì jiào bófù hé shūshu.

妈妈 的 兄弟 都 叫舅舅。

māma de xiōngdì dōu jiào jiùjiu.

马克: 跟 我们 不 一样，我们 没有 分别。

Mǎkè: Gēn wǒmen bù yīyàng, wǒmen méiyǒu fēnbié.

李明的爸爸: 是 啊,不同 的 语言 有 不同 的 称谓。

Lǐ Míng de bàba: Shì a, bùtóng de yǔyán yǒu bùtóng de chēngwèi.

林华: 叔叔、阿姨,时间 不 早 了,我们 该 回去 了。

Lín Huá: Shūshu、āyí, shíjiān bù zǎo le, wǒmen gāi huíqù le.

李明的妈妈: 那 好 吧,你们 慢 走啊, 有空 常 来

Lǐ Míng de māma: Nà hǎo ba. Nǐmen màn zǒu a, yǒukòng cháng lái

玩。

wán.

语言注释

全家福: Happy family reunion photograph.

Lin Hua:	"Shushu", "ayi" how are you.
Li Ming's parents:	Come in, please.
Mark:	What do you mean "shushu"? Isn't it the title for father's younger brother?
Lin Hua:	It's not always. You can call a man "shushu" if he is about the same age and generation as your father.
Mark:	Oh, I see. So you can call a woman "a yi" if she is your mother's sister?
Lin Hua:	No, you can call mother's sisters "yi" or "yima".
Mark:	Oh, This is too complicate.
Lin Hua:	Li Ming, are they your "laolao" and "laoye"?
Li Ming:	Yes, they are.
Mark:	What do you mean "laolao" and "laoye"?
Li Ming:	"Laolao" and "laoye" are mother's parents. Mother's parents are also called "waigong" and "waipo".
Mark:	Oh, what about father's parents?
Lin Hua:	The titles for father's parents "yeye" and "nainai"?
Mark:	You mean in China, titles of father's relatives are different than that of mother's relatives.

Li Ming:　Yes, as I just mentioned, the title of mother's sister is "yi", the title of father's sister is "gu".

Lin Hua:　The titles of father's brothers are "bofu"and "shushu", and the title of mother's brothers is "jiu".

Mark:　We don't make so many differences.

Li Ming's father:　Different languages have different titles.

Lin Hua:　We should be heading back now, "shushu", "ayi".

Li Ming's mother:　OK, take care! Come visit often if you like.

活 动　Activities

口语任务 Speaking Tasks

Step 1 ▶　连线搭配 Match

伯父
bófù

舅舅
jiùjiu

姑姑
gūgu

爷爷
yéye

姥姥
lǎolao

姨
yí

爸爸　的　爸爸
bàba de bàba

妈妈　的　妈妈
māma de māma

爸爸　的　哥哥
bàba de gēge

妈妈　的　姐姐
māma de jiějie

爸爸　的　妹妹
bàba de mèimei

妈妈　的　弟弟
māma de dìdi

Step 2 选词填空 Fill in the Blanks

辈分	年龄
分别	称呼
打扰	有空

◆ 马克和玛丽 _____ 来自美国和加拿大。

◆ 叔叔和爸爸 _____ 相同。

◆ 我的 _____ 是18岁。

◆ 今天我 _____。

◆ 请不要 _____ 我。

◆ 怎么 _____ 您?

Step 3 替换练习 Substitution

v. + 得 + adj. de	你 说 得 对。 Nǐ shuō de duì.
	做　　　很好 zuò　　　hěnhǎo
	写　　　很　清楚 xiě　　　hěn qīngchu
	唱　　　很　好听 chàng　　hěn hǎotīng
不同　的……有　不同…… bùtóng de　yǒu bùtóng	不同　的 语言 有 不同 的 称呼。 Bùtóng de yǔyán yǒu bùtóng de chēnghu.
	民族　　　　　　　服饰 mínzú　　　　　　fúshì
	生活方式　　　　　生活习惯 shēnghuófāngshì　shēnghuóxíguàn
我们　该…… wǒmen gāi	我们　该 回家 了。 Wǒmen gāi huíjiā le.
	吃饭 chīfàn
	下课 xiàkè
有空…… yǒukòng	有空　(常)　来 玩。 Yǒukòng (cháng) lái wán.
	看看　书 kànkan shū
	回家　看看 huíjiā kànkan

听力任务 Listening Tasks

Step 1 ▶ 先听一遍录音，然后选择。Listen and then make a choice.

林华这个周末准备去 ＿＿＿＿＿＿＿＿＿ 家过周末。
A. 伯父　　　　　B. 叔叔　　　　　C. 姑姑

林华周末 ＿＿＿＿＿＿＿＿＿ 家玩。
A. 都去伯父　　　B. 都去叔叔　　　C. 有时候去姑姑

Step 2 ▶ 再听一至两遍录音，然后选择。Listen again and then make a choice.

林华不去姨家，是因为 ＿＿＿＿＿＿＿＿＿ 。
A. 林华没有姨　　B. 林华不喜欢他的姨　　C. 林华的姨不在家

交际任务 Communication Tasks

Step 1 ▶ 角色扮演 Role-Play

角 色 Role
两个来自不同国家的学生
Two students from different countries

任 务 Assignment
老师要求学生谈论自己国家在做客时的一般习惯。
The teacher asks students to talk about customs for greeting guests in their countries.

Step 2 交际体验 Communication Practice

卡尔和安娜都是外国留学生。今天他们一起去
中国朋友张梅家里做客。

题目：欢迎再来玩！

Karl and Anna are both studying in China. Today they
are going to their Chinese friend Zhang Mei's home for
a visit.

Topic: Welcome to visit us again!

文化窗口 Culture Window

同辈人中，对年龄大的人可称大哥、大姐，对年龄小的人可称弟弟、妹妹。对父母辈的人，可称叔叔、阿姨、伯父、伯母等，对祖父母辈的人一般称爷爷、奶奶等。

A If two people were born in the same genera-tion, the younger one will address the older one "dage" or "dajie". The older one will ad-dress the younger one "didi" or "meimei". To address your parents' generation of relatives, use "shushu" "ayi" "bofu" "bomu"etc. To address your grandparents'generation of rela-tives use "yeye" or "nainai".

在中国，不同的地方，对陌生人的称呼不太一样。在北京，可称陌生人"师傅"，对陌生的年轻女子称"大姐"。在南方，有的地方称陌生人"老板"，甚至对小孩子也一样。在云南有些地区，称呼陌生女子，不论年龄大小，都可以叫阿姨。

B In different places of China strangers are ad-dressed in different ways. In Beijing they are called "shifu". Younger women are called "dajie". In the south they are called "laoban" even to a child. In someplace of Yunnan women strangers are all addressed as "ayi".

C In villages of Northern China, husband calls his wife "Children's mother", conversely, wife calls her husband "Children's father". These titles have distinctive local features.

在北方农村家庭里，丈夫称呼自己的妻子可以说"孩子他妈"，反过来，妻子称呼自己的丈夫，可以说"孩子他爸"。这些称呼带有很强的地方特色，不同的地区有着完全不同的称呼。

文化拓展 General Knowledge of Chinese Culture

前 怕 龙 —— 后 怕 虎
qián pà lóng   hòu pà hǔ

(also 前怕狼，后怕虎，fear dragons ahead and tigers behind, be full of fear; be overcautious.)

学汉字   Word Formation

手 shǒu		hand, 像人手的样子。 The character looks like the shape of a palm.

拳 quán		fist, "关" 是这个字的声旁。 The "关" is the sound element of the word. 拳头 quántóu fist, a bunch of fives; 太极拳 tàijí quán, shadow boxing; school of popular traditional martial art marked for slow and graceful movements that are designed to attack or counterattack, keep fit, prevent and treat diseases.

把 bǎ		hold, grasp, "巴" 是这个字的声旁。 The "巴" is the sound element of the word. 把手 bǎshǒu, handle, grip for the hand; 把门 bǎmén, guard a gate.

06 What Do We Give?

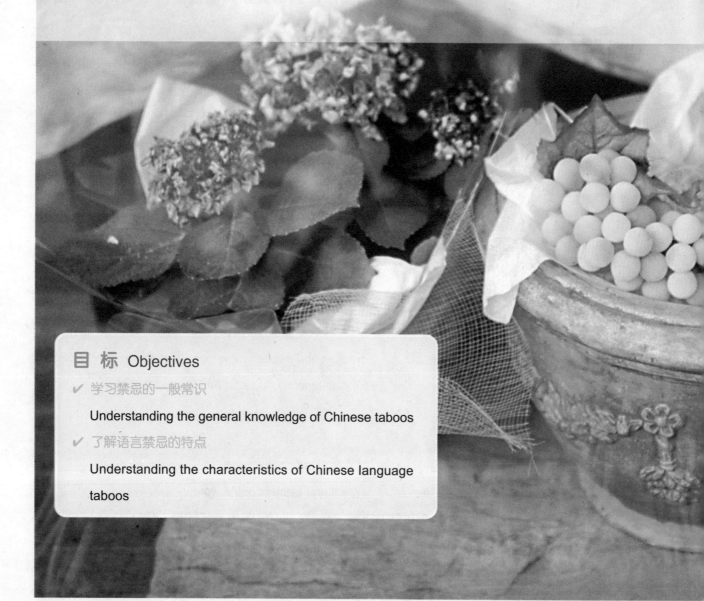

第六课 应该 送 什么?
dì liù kè yīnggāi sòng shénme

目标 Objectives

✔ 学习禁忌的一般常识

Understanding the general knowledge of Chinese taboos

✔ 了解语言禁忌的特点

Understanding the characteristics of Chinese language taboos

蛋糕
dàngāo
cake

闹钟
nàozhōng
alarm clock

花伞
huāsǎn
umbrella

翻船
fānchuán
to capsize

第一部分

Part 1　生词与短语　Words & Phrases

后天 hòutiān	the day after tomor-row		生日 shēngrì	birthday
聚会 jùhuì	get-together		奇怪 qíguài	strange
当然 dāngrán	of course		到底 dàodǐ	after all, to the end
上街 shàngjiē	go shopping		反正 fǎnzhèng	anyway, anyhow

关键句　Key Sentences

我　正在　想送　什么礼物。
Wǒ zhēngzài xiǎng sòng shénme lǐwù.
I am thinking about buying a gift.

我们　上街　去买吧。
Wǒmen shàngjiē qù mǎi ba.
Let's go shopping.

你看　这个礼物　怎么样?
Nǐ kàn zhège lǐwù zěnmeyàng?
What do you think about this gift?

生日　怎么能　送　闹钟?
Shēngrì zěnme néng sòng nàozhōng?
How can we give a clock as a birthday gift?

实景对话　Dialogue

马克：　林华，　张梅　后天　生日　聚会。你去不去？
Mǎkè：　Lín Huá, Zhāng Méi hòutiān shēngrì jùhuì. Nǐ qù bú qù?

林华：　当然　要去。我　正　在　想　送　什么　礼物　呢？
Lín Huá：　Dāngrán yào qù. Wǒ zhèng zài xiǎng sòng shénme lǐwù ne?

马克：　我们　上街　去买吧。
Mǎkè：　Wǒmen shàngjiē qù mǎi ba.

林华：　好。
Lín Huá：　Hǎo.

（林华　和马克来到　一家　礼品　商店）
（Lín Huá hé Mǎkè lái dào yījiā lǐpǐn shāngdiàn）

马克：　林华，　你看　这个礼物　怎么样？
Mǎkè：　Lín Huá, nǐ kàn zhège lǐwù zěnmeyàng?

林华：　(走　过　去)哦，闹钟？　不　好！
Lín Huá：　(zǒu guò qù) Ó, nàozhōng? Bù hǎo!

马克：　为什么　不　好？我看　很　漂亮。
Mǎkè：　Wèishénme bù hǎo? Wǒ kàn hěn piàoliang.

林华：　生日　怎么　能　送　闹钟　呢？
Lín Huá：　Shēngrì zěnme néng sòng nàozhōng ne?

马克：　(自言自语)　为什么　不能　送　闹钟？　奇怪！
Mǎkè：　(zìyánzìyǔ) Wèishénme bùnéng sòng nàozhōng? Qíguài!

（马克又　看见　一把很　漂亮　的花伞）
（Mǎkè yòu kànjiàn yībǎ hěn piàoliang de huāsǎn）

马克：　林华，　这个　应该　可以吧？
Mǎkè：　Lín Huá, zhège yīnggāi kěyǐ ba?

林华:　伞？不　行　不　行！

Lín Huā:　Sǎn? Bù xíng bù xíng!

马克:　我们　到底　送　什么　呀？

Mǎkè:　Wǒmen dàodǐ sòng shénme ya?

林华:　再　找找　吧, 反正　不能　送　闹钟　和　花伞。

Lín Huā:　Zài zhǎozhǎo ba, fǎnzhèng bù néng sòng nàozhōng hé huāsǎn.

Mark: Lin Hua, the day after tomorrow will be Zhang Mei's birthday party. Are you going?

Lin Hua: Of course, I will. I am thinking about buying her a gift.

Mark: Let's go shopping.

Lin Hua: OK.

Mark: Lin Hua, what do you think about this?

Lin Hua: A clock is not appropriate.

Mark: Why? It is beautiful.

Lin Hua: How can you give her a clock as birthday present?

Mark: (Talk to himself) It's strange. Why can't I give her a clock as birthday present?

Mark: Lin Hua, will this one be acceptable?

Lin Hua: An umbrella? No.

Mark: What should we buy?

Lin Hua: Anyway, clock and umbrella are unacceptable.

活　动　Activities

口语任务 Speaking Tasks

Step 1 ▶ 看图说话 Look at the Illustrations and Speak

今天　是我的　生日。

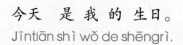

Jīntiān shì wǒ de shēngrì.

我 要 买 很多 东西。
Wǒ yào mǎi hěnduō dōngxi.

送 给你的 生日 礼物。
Sòng gěi nǐ de shēngrì lǐwù.

Step 2 连线搭配 Match

 正在
zhèngzài

 很
hěn

 应该
yīnggāi

 送
sòng

礼物　　　　　来　　　　　想　　　　　漂亮
lǐwù　　　　　lái　　　　　xiǎng　　　　piàoliang

Step 3 替换练习 Substitution

你 看……怎么样？ 我 看……	你 看 这个 礼物 怎么样？ 我 看 很 好看。
nǐ kàn　　zěnmeyàng wǒ kàn	Nǐ kàn zhège lǐwù zěnmeyàng? Wǒ kàn hěn hǎokàn.
	那个花伞　　　　　漂亮
	nàgehuāsǎn　　　piàoliang
	这件衣服　　　　　合适
	zhèjiàn yīfu　　　héshì

我 正 在 想……	我 正 在 想 送 什么 礼物。
wǒ zhēng zài xiǎng	Wǒ zhèng zài xiǎng sòng shénme lǐwù.
	买 什么 东西
	mǎi shénme dōngxi
	看 什么 书
	kàn shénme shū

让 + sb. + v.	让 我们 上街 买 东西。
ràng	Ràng wǒmen shàngjiē mǎi dōngxi.
	回家 吃饭
	huíjiā chīfàn
	去 学校 上课
	qù xuéxiào shàngkè

 听力任务 Listening Tasks

Step 1 先听一遍录音，然后选择正确答案。Listen and then make a choice.

昨天 ▇▇▇▇▇▇▇ 过生日。
A.马克　　　　　B.林华　　　　　　C.张梅

文中提到的生日礼物是 ▇▇▇▇▇▇ 。
A.闹钟　　　　　B.花伞　　　　　　C.蛋糕

Step 2 再听一至两遍录音，然后选择正确答案。Listen again and then make a choice.

中国人过生日时,可以送 ▇▇▇▇▇▇ 。
A.闹钟　　　　　B.花伞　　　　　　C.蛋糕

朋友在过生日时一般也不能送 ▇▇▇▇▇▇ 。
A.衣服　　　　　B.刀　　　　　　　C.花

交际任务 Communication Tasks

Step 1 角色扮演 Role-Play

角 色 Role
老师和学生 A teacher and a student

任 务 Assignment
老师先问学生的生日日期，然后问他们想要什么样的礼物，不想要什么样的礼物，并解释原因。

The teacher asks about the birthday of the students. And then asks the students what kind of birthday present they want. Why?

Step 2 交际体验 Communication Practice

留学生卡尔今年要毕业了。在回国之前，卡尔的中国同学和朋友们要给他举行送别聚会。
题目：后会有期!

Carl will graduate this year. Before he goes back to his country, his Chinese friends will give him a big see-off party.
Topic: We shall meet again!

第二部分

Part 2　　生词与短语　Words & Phrases

问题 wèntí	question
请教 qǐngjiào	consult
终结 zhōngjié	end, terminate
送终 sòngzhōng	attend upon a dying parent or other senior member of one's family
散开 sànkāi	disperse, separate
禁忌 jìnjì	taboo

海边 hǎibiān	seaside
翻 fān	turn upside down
怕 pà	be afraid of, fear
看来 kànlái	it looks as if, it seems
以后 yǐhòu	later
注意 zhùyì	pay attention to

关键句　Key Sentences

我 有 一个 问题 想 请教 你。
Wǒ yǒu yīgè wèntí xiǎng qǐngjiào nǐ.
I have a question to consult you.

送 闹钟 听 起来 像 送终。
Sòng nàozhōng tīng qǐlái xiàng sòngzhōng.
"Giving sb. a clock" in Chinese sounds similar to "bring death" to somebody.

以后 得 多 注意 了。
Yǐhòu děi duō zhùyì le.
Be careful from now on.

实景对话 Dialogue

林华: 张梅， 生日 快乐!
Lín Huá: Zhāng Méi, shēngrì kuàilè!

张梅: 谢谢!
Zhāng Méi: Xièxie!

马克: 祝 你生日 快乐!
Mǎkè: Zhū nǐ shēngrì kuàilè!

张梅: 哦,是 马克 呀。谢谢， 欢迎!
Zhāng Méi: Ó, shì Mǎkè ya. Xièxie, huānyíng!

马克: 张梅， 我 有 一个 问题 想 请教 你。
Mǎkè: Zhāng Méi, wǒ yǒu yīgè wèntí xiǎng qǐngjiào nǐ.

张梅: 什么 问题 呀?
Zhāng Méi: Shénme wèntí ya?

马克: 在 中国 过 生日 为什么 不能 送 闹钟?
Mǎkè: Zài Zhōngguó guò shēngrì wèishénme bùnéng sòng nàozhōng?

张梅: 因为 闹钟 的 "钟" 和 终结 的 "终" 读音一样，
Zhāng Méi: Yīnwèi nàozhōng de "zhōng" hé zhōngjié de "zhōng" dúyīn yīyàng,

所以 送 闹钟 听 起来 像 送终。
suǒyǐ sòng nàozhōng tīng qǐlái xiàng sòngzhōng.

马克: 哦,原来 是 这样。那 为什么 不能 送 伞 呢?
Mǎkè: Ò, yuánlái shì zhèyàng. Nà wèishénme bùnéng sòng sǎn ne?

林华: 花伞 的 "伞" 和 散开的 "散" 读音也 差不多， 当
Lín Huá: Huāsǎn de "sǎn" hé sǎnkāi de "sǎn" dúyīn yě chàbuduō, dāng

然也 不能 送 了。
rán yě bùnéng sòng le.

马克: 有意思。

Mǎkè: Yǒu yìsi.

张梅: 在 中国 这样 的禁忌还有 很多。比如住在海

Zhāng Méi: Zài Zhōngguó zhèyàng de jìnjì háiyǒu hěnduō. Bǐrú zhù zài hǎi

边 的人, 忌讳 说 "翻" 字。

biān de rén, jìhuì shuō "fān" zì.

马克: 为什么?

Mǎkè: Wèishénme?

林华: 怕 船 翻 了。

Lín Huá: Pà chuán fān le.

马克: 看来 我以后 得 多 注意了。

Mǎkè: Kànlái wǒ yǐhòu děi duō zhùyì le.

语言注释

忌讳: taboo, misgivings about some words or actions for customs, habits or personal reason.

Lin Hua: Zhang Mei, happy birthday!

Zhang Mei: Thank you!

Mark: Happy birthday!

Zhang Mei: Mark, thank you and welcome!

Mark: Zhang Mei, I have a question.

Zhang Mei: What's it?

Mark: In China, why can't clock be a birthday present?

Zhang Mei: This is because the word "clock" sounds similar to the word "death". Presenting a clock to somebody sounds similar to present "death" to somebody.

Mark: I see. Then what's wrong by giving somebody an umbrella?

Lin Hua: The word umbrella sounds similar to the word "separation".

Mark: It's interesting.

Zhang Mei: In China, language taboos like this are enormous. For example, fish folk should avoid saying the word "fan".

Mark: Why?

Lin Hua: They worry that might cause boat capsized. ("fan" sounds similar to the word "to capsize").

Mark: I should be careful from now on.

活 动 Activities

口语任务 Speaking Tasks

Step 1 连线搭配 Match

过　　　　送　　　　请教　　　　船
guò　　　sòng　　qǐngjiào　　chuán

翻　　　　　生日　　　　闹钟　　　　问题
fān　　　shēngrì　　nàozhōng　　wèntí

Step 2 选词填空 Fill in the Blanks

◆ 向老师　　　　　　　　问题。
◆ 我们　　　　　　到第10页。
◆ 　　　　　　就是结束。
◆ 我　　　　　　天下雨。
◆ 人群慢慢　　　　　　　。
◆ 多　　　　　身体。

请教　　终结
散开　　翻
怕　　　注意

Step 3 替换练习 Substitution

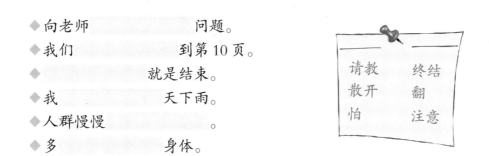

…… 怎么能 ……	生日　怎么能　送　闹钟?
zěnmenéng	Shēngrì zěnmenéng sòng nàozhōng?
	生病　　　　不去 医院
	shēngbìng　　bùqù yīyuàn
	上课　　　　睡觉
	shàngkè　　shuìjiào

我有……想……	我有一个问题想请教你。
wǒ yǒu xiǎng	Wǒ yǒu yīgè wèntí xiǎng qǐngjiào nǐ.
	一些旧书　　卖出去
	yīxiē jiùshū　　mài chūqù
	两件事　　　今天办完
	liǎngjiàn shì　　jīntiān bànwán

……听 起来……	送 闹钟 听 起来 像 "送终"。
tīng qǐlái	Sòng nàozhōng tīng qǐlái xiàng sòng zhōng.
	铃声　　　　　　　鸟鸣
	língshēng　　　　niǎomíng
怕……	怕 船 翻 了。
pà	Pà chuán fān le.
	今天　下雨
	jīntiān xiàyǔ
	作业　太多
	zuòyè tàiduō

听力任务 Listening Tasks

Step 1 先听一遍录音，然后选择正确答案。Listen and then make a choice.

孩子取名时　　　　　　　与父母或爷爷奶奶同名。
A. 可以　　　　　　B. 不可以　　　　　　C. 只要父母同意就可以

小孩子　　　　　　　直接叫父母或爷爷奶奶的名字。
A. 能　　　　　　B. 不能　　　　　　C. 只要父母同意就可以

Step 2 再听一至两遍录音，然后选择。Listen again and then make a choice.

同辈之间　　　　　　　直接称呼对方的名字。
A. 过去可以，现在不可以　　　　B. 过去不可以，现在可以
C. 过去和现在都可以

交际任务 Communication Tasks

Step 1 ▶ 角色扮演 Role-Play

角色 Role

老师和所有学生
Teacher and the whole class

任务 Assignment

老师选一名同学过生日,然后邀请其他同学参加他的生日聚会。请同学们分别向那位同学送生日礼物。

Pretending that it is a birthday party, the teacher asks each of the students to give birthday present to the student.

Step 2 ▶ 交际体验 Communication Practice

马克是来自美国的学生。今天他要和他的中国同学林华一起去医院看望林华的爷爷。

题目:祝您早日康复!

Mark is from America. Today, he and his classmate Lin Hua will go to the hospital to visit Lin Hua's grandfather.

Topic: We wish you be restored to health soon !

文化窗口 Culture Window

节日禁忌，以春节为例，春节是一年中最重要的节日，因此春节期间说话做事要特别谨慎①。不能说不吉利的话，如"病"、"死"、"杀"、"完了"、"没了"

等；不能打破器具，不能说"破了"、"坏了"等等。此外还有穿衣服和饮食方面的禁忌。

饮食禁忌：酒席的座位有讲究，上座②留给主宾或年纪最大的人，不能乱坐。吃饭时不能把空碗反扣在桌上，不能把筷子直插在盛满米饭的碗中，不能当众打嗝③，最好中途不要上厕所等等。

中国人忌说"死"字，而是说"老了、走了"、"不在了"、"过世"、"谢世"等，特别是在喜庆的日子。平时与死亡、丧葬相关的事，也忌讳提及，以免引起不好的联想。

中国人在选择数字和日期上有讲究。例如喜欢8或6，不喜欢4。在选择结婚等重要日子时，一般要选双数，不选单数。选车牌号码、电话号码时，也常喜欢选8或6，而一般不愿意要4。

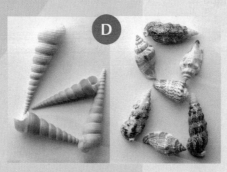

A Taboos of festival: Take the Spring Festival as an example, the Spring Festival is the most important festival in China. So we have to be very careful in talking and behaving. We can't say words such as "sick", "death", "kill", "end", "finish", "there is a lack of...". It will be an unlucky sign to break things. Besides there are also taboos of food and clothes.

B Taboos of food: The seating arrangement of a banquet is ceremonious. The seat of honour is for guest or aged people. During the meal, it is not allowed to put an empty bowl upside down on the table. It is also not allowed to insert chopsticks vertically in a bowl of rice. Eructation and going to the restroom in a meal are also considered impolite.

C It is a taboo to say "si (death)" when people died. We often say "lao le"、"zou le"、"bu zai le "、"guo shi"、"xie shi" instead. It's ominous to say anything related to death and funeral during festivals.

D Certain numbers are very welcome in China. For example, we like number 6 and 8, and we do not like number 4. We often choose even-numbered days to be the day of important event such as wedding. We also like some numbers, such as 8, 6 to be our telephone number and license plate.

> **注 释**
> ① be cautious to; ② the seat of honour; ③ eructation

文化拓展 General Knowledge of Chinese Culture

 蛇 钻 窟窿 —— 顾前 不 顾后
shé zuān kūlong　　gù qián bù gù hòu

> Take care of one thing and miss the other; can not attend to one thing without neglecting the other.

学汉字 Word Formation

心 xīn		heart, 像一颗心的样子。 The character looks like the shape of a heart.
息 xī		rest, "自"是这个字的声旁。 The "自" is the sound element of the word. 休息 xiūxi, have a rest; 作息 zuòxī, work and rest.
念 niàn		have in mind, miss, yarn, "今"是这个字的声旁。 The "今" is the sound element of the word. 思念 sīniàn, think of, long for, miss; 想念 xiǎngniàn, miss.

07 Let's Go to Theater !

第七课 走，看戏去!
dì qī kè zǒu kàn xì qù

目标 Objectives

✔ 了解京剧主要脸谱所表示的角色

Understanding the relationship between the facial make-up and roles they represent in Beijing opera.

✔ 学会有关戏剧、演出的常用词语

Learn the common phrases used for drama and opera performance.

京剧 演出
jīngjù yǎnchū
Beijing opera

脸谱
liǎnpǔ
Beijing opera facial make-up

小生
xiǎoshēng
young male

花旦
huādàn
young female

第一部分

Part 1　生词与短语　Words & Phrases

戏 xì	drama	确实 quèshí	indeed
剧场 jùchǎng	theater	相似 xiāngsì	similar
京剧 jīngjù	Beijing opera	不仅 bùjǐn	not only
演出 yǎnchū	perform, performance	功夫 gōngfu	martial art
国剧 guójù	national opera	表演 biǎoyǎn	performance
流行 liúxíng	popular	脸谱 liǎnpǔ	types of facial make-up in operas
歌剧 gējù	opera		

关键句　Key Sentences

看戏 去。
Kànxì qù.
Go to theater.

京剧 不仅 唱， 还有 对白、 动作 和 功夫 表演。
Jīngjù bùjǐn chàng, háiyǒu duìbái, dòngzuò hé gōngfu biǎoyǎn.
Beijing opera includes not only singing part, but also spoken part, action and martial art parts.

买 几个 脸谱画 带 回去。
Mǎi jǐgè liǎnpǔhuà dài huíqù.
I will buy some pictures of Beijing opera facial make-up.

实景对话　Dialogue

孙老师：玛丽，马克，我这里有三张戏票，走，看戏去。
Sūn lǎoshī：Mǎlì, Mǎkè, wǒ zhèlǐ yǒu sānzhāng xìpiào, zǒu, kànxì qù.

玛丽：去哪啊? 远不远?
Mǎlì：Qù nǎ a? Yuǎn bù yuǎn?

孙老师：去华夏剧场，不远，10 分钟就能到。
Sūn lǎoshī：Qù Huáxià jùchǎng, bù yuǎn, shí fēnzhōng jiù néng dào.

马克：看什么戏啊?
Mǎkè：Kàn shénme xì a?

孙老师：看京剧演出。
Sūn lǎoshī：Kàn jīngjù yǎnchū.

马克：好啊。听说京剧是中国的国剧。
Mǎkè：Hǎo a. Tīngshuō jīngjù shì Zhōngguó de guójù.

孙老师：是的，很多人这么说。京剧是中国最流行
Sūn lǎoshī：Shìde, hěnduō rén zhème shuō. Jīngjù shì Zhōngguó zuì liúxíng

的一种戏。
de yīzhǒng xì.

玛丽：为什么很多人说京剧是"东方歌剧"? 是不
Mǎlì：Wèishénme hěnduō rén shuō jīngjù shì "dōngfāng gējù"? Shìbu

是因为京剧也主要是唱?
shi yīnwèi jīngjù yě zhǔyào shì chàng?

孙老师：京剧和歌剧确实很相似，不过，京剧 不仅 唱，
Sūn lǎoshī：Jīngjù hé gējù quèshí hěn xiāngsì, bùguò, jīngjù bùjǐn chàng,

还 有很多对白、动作和功夫表演。
hái yǒu hěnduō duìbái、dòngzuò hé gōngfu biǎoyǎn.

马克: 有 功夫 表演? 我 很 喜欢 看 中国 的 功夫 表
Mǎkè: Yǒu gōngfu biǎoyǎn? Wǒ hěn xǐhuan kàn Zhōngguó de gōngfu biǎo

演。
yǎn.

孙老师: 京剧 还有 一个 重要 的 特点, 就是 不同 的 角色 有
Sūn lǎoshī: Jīngjù hái yǒu yígè zhòngyào de tèdiǎn, jiù shì bùtóng de juésè yǒu

不同 的 脸谱。 简单 地 说, 红脸 代表 好人, 白脸
bù tóng de liǎn pǔ. Jiǎndān de shuō, hóngliǎn dàibiǎo hǎo rén, báiliǎn

和 黄脸 代表 坏人, 另外 还有 黑脸、蓝脸、绿脸。
hé huángliǎn dàibiǎo huàirén, lìngwài háiyǒu hēiliǎn、lánliǎn、lǜliǎn.

玛丽: 京剧 有 这么多的 学问 啊。我 回国 的 时候, 一定
Mǎlì: Jīngjù yǒu zhème duō de xuéwen a. Wǒ huíguó de shíhou, yídìng

要 买 几个 脸谱画 带 回去。
yào mǎi jǐgè liǎnpǔhuà dài huíqù.

语言注释
不仅……，还……: not only ...but also...
角色: role, part, character.
学问: systematic learning.

Teacher Sun: Mary, Mark, I have three Beijing opera tickets. Let's go the theater.
Mark: Where is the theater? Is it far from here?
Teacher Sun: It's Huaxia Theater, not far from here. It's about ten minutes walking distance.
Mark: What kind of performance?
Teacher Sun: Beijing opera.
Mark: Great! I have heard that Beijing opera is the national opera in China.
Teacher Sun: Yes, it is. Many people say that. Beijing Opera is the most popular opera of China.
Mary: Some people say that Beijing Opera is "oriental opera". Is this because that singing is the main part of the performance?
Teacher Sun: Beijing opera is somehow similar to western opera. However, Beijing opera includes not only singing part, but also spoken part, action and martial art parts.
Mark: Really? I like Chinese martial art performance.

Teacher Sun: Another main character of Beijing opera is that the different roles have different facial make-ups. For example, the red face represents a good sort. The white and yellow faces represent villains. Other colors of face, such as black, blue and green are all meaningful.

Mary: There is so much knowledge in Beijing opera. I will buy some pictures of Beijing opera facial make-up.

活 动 Activities

口语任务 Speaking Tasks

Step 1 看图说话 Look at the Illustrations and Speak

现在 演的
xiànzài yǎn de

是 京剧
shì jīngjù

小生， 就是
xiǎoshēng, jiù.shì

年轻 男子
niánqīng nánzǐ

花旦 就是
huādàn jiù shì

年轻 女子
niánqīng nǔzǐ

这是 京剧 脸谱
zhè shì jīngjù liǎnpǔ

中 的 一种
zhōng de yīzhǒng

Step 2 连线搭配 Match

武术
wǔshù

看
kàn

京剧
jīngjù

东方
dōngfāng

有
yǒu

戏
xì

表演
biǎoyǎn

学问
xuéwen

脸谱
liǎnpǔ

歌剧
gējù

Step 3 替换练习 Substitution

看……去 kàn qù	看 电影 去。 Kàn diànyǐng qù.
	演出 yǎnchū
	外婆 wàipó

不仅……还…… bùjǐn hái	我们 不仅 唱歌 还 跳舞。 Wǒmen bùjǐn chànggē hái tiàowǔ.
	会 说 汉语　　　　会 说 英语 huìshuō hànyǔ　　　huìshuō yīngyǔ
	吃了 饺子　　　　放了 烟花 chīle jiǎozi　　　fàngle yānhuā

听说…… tīngshuō	听说 玛丽 是 你们 的 班长。 Tīngshuō Mǎlì shì nǐmen de bānzhǎng.
	乒乓 球　　　　中国 的 国球 pīngpāng qiú　　Zhōngguó de guóqiú
	牡丹花　　　　中国 的 国花 mǔdānhuā　　　Zhōngguó de guóhuā

不同 的……不同 bùtóng de bùtóng	不同 的人 性格 不同。 Bùtóng de rén xìnggé bùtóng.
	方言　　发音特点 fāngyán　fāyīn tèdiǎn
	地方　　禁忌 dìfang　jìnjì

听力任务 Listening Tasks

Step 1▶ 听一遍录音，然后选择正确答案。Listen and then make a chioce.

马克是第　　　　　　次看京剧。

A.一　　　　　　　　B.二　　　　　　　　C.三

马克是在　　　　　　看的京剧。

A.华夏剧场　　　　　B.首都剧场　　　　　C.东方剧场

Step 2▶ 再听一至两遍录音，然后选择正确答案。Listen again and then make a chioce.

林华　　　　　　看京剧。

A. 喜欢　　　　　　　B. 不喜欢　　　　　　C.不太喜欢

林华喜欢　　　　　　

A. 京剧表演　　　　　B. 话剧表演　　　　　C.相声表演

交际任务 Communication Tasks

Step 1▶ 角色扮演 Role-Play

角 色 Role
不同国家的学生 Students from different countries

任 务 Assignment
他们互相询问对方国家有哪些戏剧。
Ask each other about the drama in his/her country.

Step 2 交际体验 Communication Practice

马克昨天和老师一起去看戏了。他们看的是京剧。马克觉得京剧特别好看。他打电话给他的朋友，说他看京剧的体验。

题目：京剧很好看!

Yesterday Mark and his teacher went to see a drama. It was Beijing opera. Mark felt that Beijing opera is wonderful. He calls his friend and tells his friend his experience.

Topic: Beijing opera is wonderful !

第 二 部 分

Part 2　生词与短语　Words & Phrases

戏迷 xìmí	theatergoer		节目 jiémù	programme
票友 piàoyǒu	amateur performer (of Beijing opera)		对(介词) duì(jiècí)	to, for, in
花旦 huādàn	young female role		感兴趣 gǎnxìngqù	be interested in
小生 xiǎoshēng	young male role		找 zhǎo	look for, seek

关键句 Key Sentences

他们 又 唱 又 跳。
Tāmen yòu chàng yòu tiào.
They sing and dance at the same time.

我 每天 早上 去 公园 里 唱。
Wǒ měitiān zǎoshang qù gōngyuán lǐ chàng.
We go to the park to sing and act every morning.

我 对 京剧 非常 感 兴趣。
Wǒ duì jīngjù fēicháng gǎn xìngqù.
I am very interested in Beijing opera.

实景对话 Dialogue

孙老师： 你们 觉得 今天 的 京剧 演出 怎么样？ 好看
Sūn lǎoshī: Nǐmen juéde jīntiān de jīngjù yǎnchū zěnmeyàng? Hǎokàn

吗？
ma?

玛丽： 太 好看 了。戏里演 的 故事 很 有意思。
Mǎlì: Tài hǎokàn le. Xì lǐ yǎn de gùshi hěn yǒu yìsi.

马克： 他们 又 唱 又 跳，很 热闹，我 很 喜欢 看 他
Mǎkè: Tāmen yòu chàng yòu tiào, hěn rè nao, wǒ hěn xǐhuan kàn tā

们 的 功夫 表演。您 常常 看 吗？
men de gōngfu biǎoyǎn. Nín chángcháng kàn ma?

孙老师： 我 不仅 常常 看，我 还 常常 唱 呢。
Sūn lǎoshī: Wǒ bùjǐn chángcháng kàn, wǒ hái chángcháng chàng ne.

玛丽： 那 您 是 一个 戏迷 了。
Mǎlì: Nà nín shì yīgè xìmí le.

孙老师： 我 不仅 是 戏迷，我 还是 一个 票友 呢。
Sūn lǎoshī: Wǒ bùjǐn shì xìmí, wǒ háishi yīgè piàoyǒu ne.

马克: 您 是 在 家里 唱 吗?
Mǎkè: Nín shì zài jiālǐ chàng ma?

孙老师: 我 每天 早上 去 公园 里 唱。
Sūn lǎoshī: Wǒ měitiān zǎoshang qù gōngyuán lǐ chàng.

玛丽: 我 对京剧 非常 感 兴趣。我 想 学 唱 京剧。
Mǎlì: Wǒ duì jīngjù fēicháng gǎn xìngqù. Wǒ xiǎng xué chàng jīng jù.

马克: 您 说, 我们 是 外国人, 学 京剧 能 行 吗?
Mǎkè: Nín shuō, wǒmen shì wàiguórén, xué jīng jù néng xíng ma?

孙老师: 行 啊, 没问题 的。马克 唱 小生, 玛丽 唱 花
Sūn lǎoshī: Xíng a, méiwèntí de. Mǎkè chàng xiǎoshēng, Mǎlì chàng huā

旦。 元旦 晚会 你们 俩一起 表演 一个 京剧 节目
dàn. Yuándàn wǎnhuì nǐmen liǎ yīqǐ biǎoyǎn yīgè jīngjù jiémù

吧。
ba.

玛丽和马克: 好 啊。那 我们 明天 就去 找 您?
Mǎlì hé Mǎkè: Hǎo a. Nà wǒmen míngtiān jiù qù zhǎo nín?

孙老师: 行, 你们 先来我家, 然后 我们 一起 去 公园。
Sūn lǎoshī: Xíng, nǐmen xiān lái wǒjiā, ránhòu wǒ men yīqǐ qù gōngyuán.

Teacher Sun: How about today's performance, is it nice?
Mary: It's wonderful! The story of the play is very interesting.
Mark: They sing, as well as dance. It's great. I like the martial art performance. Do you go to the theater often?
Teacher Sun: Yes, I not only go to the theater, but also act in opera very often.
Mary: You must be a theatergoer.
Teacher Sun: Yes, I am. I am also an amateur performer.
Mark: Where do you sing?
Teacher Sun: I go to the park to sing every morning.

Mary: I am very interested in Beijing opera. I want to learn it.

Mark: Can a foreigner learn Beijing opera?

Teacher Sun: Of course you can. Mark can play young male role; Mary can play young female role.

On New Year's evening party, you can perform Beijing opera.

Mary and Mark: Great! Can we go to your place tomorrow?

Teacher Sun: OK. You come to my place first, and then we go to the park together.

活 动 Activities

 口语任务 Speaking Tasks

Step 1 连线搭配 Match

表演 biǎoyǎn 唱 chàng 觉得 juéde 看 kàn

很 好看 hěn hǎokàn 节目 jiémù 京剧 jīngjù 小生 xiǎoshēng

Step 2 选词填空 Fill in the Blanks

◆ 他是一个很　　　的人。

◆ 他对学汉语很　　　。

◆ 那本书的内容和这本书的内容很　　　。

◆ 这个星期天我们　　　你玩去。

◆ 这首歌在校园里非常　　　。

◆ 这件衣服　　　很不错。

确实　　　流行

感兴趣　　　相似

找　　　有意思

Step 3 替换练习 Substitution

对 ……感兴趣 duì gǎnxìngqù	我 对 京剧 感兴趣。 Wǒ duì jīng jù gǎnxìngqù.
	篮球 lánqiú
	唱戏 chàngxì
	北京 Běijīng
又 …… 又 yòu yòu	我们 又 说 又 笑。 Wǒmen yòu shuō yòu xiào.
	学 英语 学 法语 xué yīngyǔ xué fǎyǔ
	做饭 洗 衣服 zuòfàn xǐ yīfu
他 每天 tā měitiān	他 每天 去 图书馆 看 书。 Tā měitiān qù túshūguǎn kàn shū.
	市场 买菜 shìchǎng mǎi cài
	教室 学习 jiàoshì xuéxí
先 …… 然后 …… xiān ránhòu	你 先 做 练习, 然后 我们 一起 做 饭。 Nǐ xiān zuò liànxí, ránhòu wǒmen yīqǐ zuò fàn.
	洗澡 吃 饭 xǐzǎo chī fàn
	换 衣服 看 电影 huàn yīfu kàn diānyǐng

听力任务 Listening Tasks

Step 1 听一遍录音, 然后选择正确答案。Listen and then make a choice.

张梅是 _____。

A. 河南人　　　　　　B. 安徽人　　　　　　C. 陕西人
　　Hénánrén　　　　　　Ānhuīrén　　　　　　Shǎnxīrén

张梅会唱_____。

A. 豫剧　　　　　　　B. 黄梅戏　　　　　　　C. 秦腔
　　Yùjù　　　　　　　　Huángméixì　　　　　　Qínqiāng

Step 2 再听一至两遍录音，然后选择正确答案。Listen again and then make a choice.

张梅的男朋友是_____。

A. 陕西人　　　　　　B. 河北人　　　　　　　C. 东北人
　　Shǎnxīrén　　　　　　Héběirén　　　　　　　Dōngběirén

张梅的男朋友会唱_____。

A. 秦腔　　　　　　　B. 河北梆子　　　　　　C. 二人转
　　Qínqiāng　　　　　　Héběibāngzi　　　　　　Èrrénzhuǎn

 交际任务 Communication Tasks

Step 1 角色扮演 Role-Play

角 色 Role

两个朋友　Two friends

任 务 Assignment

　　互相询问对方喜欢看什么演出，看过什么节目，喜欢或不喜欢这种演出的原因。

　　Asking each other about what kind of performance they have seen. Whether they like the performance? Why?

Step 2 交际体验 Communication Practice

 把 交际任务 1 中，你的伙伴告诉你的情况介绍给全班同学。

T ell your experience to the whole class.

文化窗口 Culture Window

京剧虽名字里有京字，但它不是北京的地方戏，它流行全国，中国各地都有京剧剧团。京剧的角色分生、旦、净、丑四种。"生"演的是男性，又分老生、小生和武生。"旦"演的都是女性，又分青衣、花旦、老旦、武旦等。"净"演的是性格豪爽的男性。"丑"演的是一些幽默滑稽的男性。

川剧流行于中国西南地区。川剧语言生动幽默，三分唱，七分打，特别热闹。"变脸"是川剧中的独特的表演技巧，有扯脸、撕脸、揉脸、吹脸等形式，像变魔术一样快，让人惊叹。

越剧形成于清朝末年，发源于古越国所在地浙江绍兴地区，是浙江省的主要地方戏，流行在浙江、上海、江苏、江西、安徽等地。越剧唱腔婉转，表演细腻抒情，已经成为仅次于京剧的一个大剧种。代表剧目有《红楼梦》《梁山伯与祝英台》《天仙配》等。

D 中国的戏曲剧种很多，据统计全国范围内有300多个剧种，除京剧是流行全国的国剧外，其余都属于地方戏剧种。其中影响比较大的还有评剧、粤剧、豫剧、昆曲、河北梆子等。绝大多数剧种都有风格各不相同的脸谱。

A Beijing opera is named after Beijing, but is not the drama of Beijing. Beijing opera can be found everywhere in China. The roles of Beijing opera include male role, female role, painted-face role, and comic role. The male role includes old male, young male and military male. The female role includes middle age female, young female, old female and military female. Painted-face represents a man of virile or rough character. Comic role represents foolish and humourous man.

B Sichuan opera is very popular in south-western China. The main character of Sichuan opera is its hurmourous language. In Sichuan opera, the singing part occupies 30% of the performance and the fighting part occupies 70%. Changing mask is unique in Sichuan opera. The actor can change his face in a second through different ways such as pulling, tearing, rubbing, and blowing. It is amazing.

C Shaoxing opera emerged from the Shaoxing area during the late of the Qing Dynasty. It is the most popular local opera of Zhejiang. It is very popular in places such as Shanghai, Jiangsu, Jiangxi and Anhui. The vocal music of Shaoxing opera is sweet. Its perfomance is exquisite. It is second only to Beijing opera. The representative plays of Shaoxing opera include *Dream of the Red Chamber* and *Liang Shanbo and Zhu Yingtai*.

D In China, we have many different kinds of operas. According to statistics, there are over three hundreds operas. Except Beijing opera, most of them are local operas. Some of the local operas such as Ping opera, Yue opera, Yu opera and Huangmei opera are quite famous. Most of the operas have facial make-up in different style.

阅读后判断：
① 中国有300多个地方戏。
② 京剧不是地方戏。
③ 越剧是中国第二大剧种。
④ 川剧的特点是变脸。

文化拓展 General Knowledge of Chinese Culture

马 到 成 功
mǎ dào chéng gōng

(win instant success; gain an immediate victory)

学汉字 Word Formation

日 rì		Sun,像太阳的样子。 The character looks like the shape of the Sun.
早 zǎo		morning, long ago, former,"日"和"十"放在一起表示这个字的意思。 The "日" and "十" together indicate the meaning of the word. 早上 zǎoshang、早晨 zǎochén: morning, period of time from dawn to eight or nine o'clock.
时(時) shí		time,"寺"是这个字的声旁。 The "寺" is the sound element of the word. 时间 shíjiān, time, period of time; 时候 shíhou, same as "时间"。

I Am Practicing Brush Calligraphy !

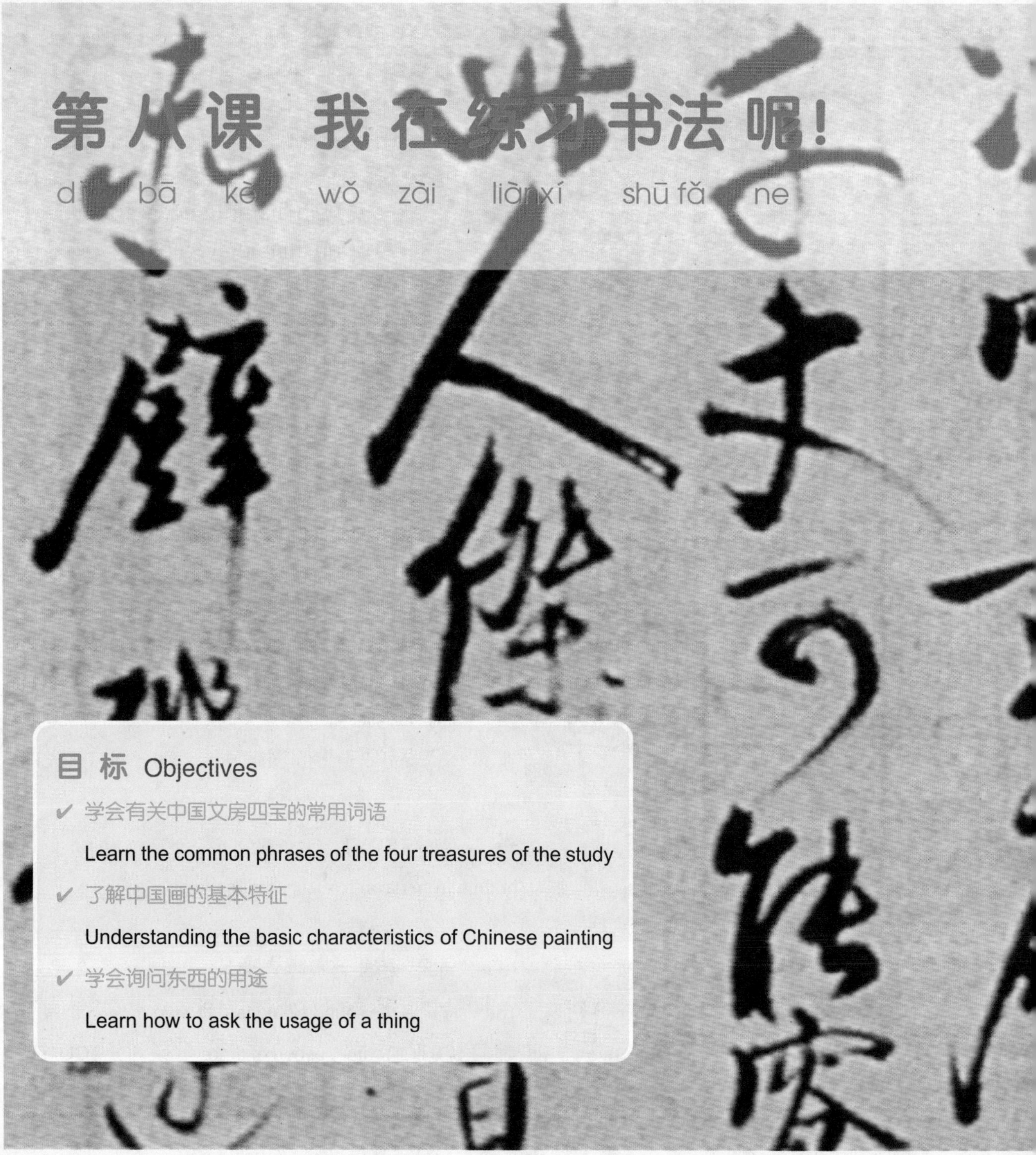

第八课　我在练习书法呢！

dì bā kè　wǒ zài liànxí　shū fǎ　ne

目标 Objectives

✓ 学会有关中国文房四宝的常用词语

Learn the common phrases of the four treasures of the study

✓ 了解中国画的基本特征

Understanding the basic characteristics of Chinese painting

✓ 学会询问东西的用途

Learn how to ask the usage of a thing

书法
shūfǎ
calligraphy

毛笔
máobǐ
brush pen

墨
mò
ink

砚台
yàntái
ink stone

中国画
Zhōngguó huà
traditional Chinese painting

第 一 部 分

Part 1 生词与短语 Words & Phrases

毛笔 māobǐ	brush pen	研墨 yánmò	preparing Chinese ink
刷子 shuāzi	brush	特别 tèbié	special
练习 liànxí	practice	墨汁 mòzhī	prepared Chinese ink
书法 shūfǎ	calligraphy	文房四宝 wénfángsìbǎo	the four treasures of the study
砚台 yàntai	ink stone	决定 juédìng	decide,determine

关键句 Key Sentences

我 在 练习 书法 呢。
Wǒ zài liànxí shūfǎ ne.
I am practicing brush calligraphy.

这 是 用来 研墨 的。
Zhè shì yònglái yánmò de.
This is for preparing Chinese ink.

想 要 墨汁 浓 一点儿 或者 淡 一点儿，可以 自己 决定。
Xiǎngyào mòzhī nóng yīdiǎnr huòzhě dàn yīdiǎnr, kěyǐ zìjǐ juédìng.
You decide whether you want the ink be thick or thin.

有是有， 但是 不合适。
Yǒushìyǒu, dànshì bù héshì.
Yes, it is. However, it might not be suitable.

实景对话 Dialogue

马克: 刘 老师, 您好!
Mǎkè: Liú lǎoshī, nínhǎo!

刘老师: 你 好! 快 请进。
Liú lǎoshī: Nǐ hǎo! Kuài qǐngjìn.

马克: 刘 老师, 您 拿的是 刷子 吧? 您 做 什 么 呢?
Mǎkè: Liú lǎoshī, nín ná de shì shuāzi ba? Nín zuò shén me ne?

刘老师: 这 不是刷子, 这 是毛笔。我在 练习 书法 呢。
Liú lǎoshī: Zhè búshì shuāzi, zhè shì máobǐ. Wǒ zài liànxí shūfǎ ne.

马克: 是 嘛? (用 手 指 砚台) 这个 是 什么?
Mǎkè: Shì ma? (yòng shǒu zhǐ yàntai) Zhège shì shénme?

刘老师: 这 是 砚台。
Liú lǎoshī: Zhè shì yàntai.

马克: 干 什么 用 的?
Mǎkè: Gàn shénme yòng de?

刘老师: 这 是 用来 研墨 的。笔、墨、纸、砚, 这四样 东
Liú lǎoshī: Zhè shì yònglái yánmò de. Bǐ、mò、zhǐ、yàn, zhè sìyàng dōng

西, 我们 叫 "文房四宝"。
xi, wǒmen jiào "wénfángsìbǎo".

马克: 这墨 很 特别。为什么 要自己 研墨 呢? 商店 里
Mǎkè: Zhè mò hěn tèbié. Wèishénme yào zìjǐ yánmò ne? Shāngdiàn lǐ

没有 卖 的 吗?
méiyǒu mài de ma?

刘老师: 有是有, 但是 不合适。自己研墨, 想 要 墨汁 浓

Liú lǎoshī: Yǒushìyǒu, dànshì bū héshì. Zìjǐ yánmō, xiǎng yào mòzhī nóng

一 点儿 或者 淡 一点儿可以自己 决定。

yīdiǎnr huòzhě dàn yīdiǎnr, kěyǐ zìjǐ juédìng.

马克: 您 家   墙上   的 那些字,都 是 您 自己写 的 吗?

Mǎkè: Nín jiā qiángshàng de nà xiē zì, dōu shì nín zìjǐ xiě de ma?

刘老师: 对, 都 是 我自己写 的。

Liú lǎoshī: Duì, dōu shì wǒ zìjǐ xiě de.

语言注释

呢: Used at the end of a sentence to indicate the continuation of an action or a state. It is similar to the use of "在……呢". For example: 他看电视呢! 我睡觉呢。

文房四宝: Brush pen, ink, paper and ink stone are four necessary tools of the study. This is why they are called the four treasures of the study. Other tools include brush pot, penholder and paper-weight.

X是X: This structure is used in a clause of concession. It is always followed with 但是、可是、就是. For example: 学是学了, 可是没学会! 好是好, 就是有点贵。

Mark: Hello, Professor Liu!

Teacher Liu: Hello, come in please.

Mark: Professor Liu, is that a brush in your hand? What are you doing?

Teacher Liu: This is not a brush. This is a brush pen. I am practicing Chinese calligraphy.

Mark: Really? What's this?

Teacher Liu: This is an ink stone.

Mark: What's for?

Teacher Liu: This is for preparing Chinese ink. In China, brush pen, ink, paper and ink stone are four treasures of the study.

Mark: This kind of ink is something special. Why do you have to make it yourself? Do people sell ink in the store?

Teacher Liu: Yes, it is. However, the ink selling in the store might not be suitable. We make ink ourselves because we can decide the thickness of the ink.

Mark: Are those calligraphy works on the wall written by you?

Teacher Liu: Yes, I wrote them myself.

活 动 Activities

口语任务 Speaking Tasks

Step 1 看图说话 Look at the Illustrations and Speak

文房四宝 包括 笔、墨、纸、砚。
Wénfángsìbǎo bāokuò bǐ、mò、zhǐ、yàn.

书法 很 难 学。
Shūfǎ hěn nán xué.

各种各样 的 毛笔。
Gèzhǒnggèyàng de máobǐ.

研墨 就是 要 磨 出 墨汁 来。
Yánmò jiù shì yào mó chū mòzhī lái.

Step 2 连线搭配 Match

练习
liànxí

墨汁
mòzhī

写
xiě

自己
zìjǐ

研墨   字   浓一点儿   书法
yánmò   zì   nóng yīdiǎnr   shūfǎ

Step 3 ▶ 替换练习 Substitution

…… 用来 …… yònglái	砚台 是 用来 研墨 的。 Yàntái shì yònglái yánmò de.
	这 把 刀　　　　　切 肉 zhè bǎ dāo　　　　　qiē ròu
	这个 盆子　　　　　洗 衣服 zhège pénzi　　　　　xǐ yīfu
…… 或者 …… huòzhě	吃 米饭 或者 吃 面条，可以 自己 决定。 Chī mǐfàn huòzhě chī miàntiáo, kěyǐ zìjǐ juédìng.
	咸 一点儿　　　　　淡 一点儿 xián yīdiǎnr　　　　　dàn yīdiǎnr
	早 一点儿 去　　　晚 一点儿 去 zǎo yīdiǎnr qù　　　wǎn yīdiǎnr qù
有是有，　但是 …… yǒushìyǒu, dànshì	面包，　有是有，　但是 不 好吃。 Miànbāo yǒushìyǒu, dànshì bù hǎochī.
	衣服　　　　　　　　不 合适 yīfu　　　　　　　　bù héshì
	帽子　　　　　　　　不 漂亮 màozi　　　　　　　　bù piàoliang
那些 …… 都 是 …… nà xiē　　dōu shì	那些 饺子 都 是 你 自己 包 的 吗? Nà xiē jiǎozi dōu shì nǐ zìjǐ bāo de ma?
	画(n.)　　　你 爸爸 画(v.)的 huà　　　　　nǐ bàba huà de
	花　　　　　你 妈妈 种 的 huā　　　　　nǐ māma zhòng de

听力任务 Listening Tasks

Step 1 ▶ 先听一遍录音，然后选择正确答案。Listen and then make a choice.

张梅拿的是 ＿＿＿＿＿。

A.毛笔　　　　　　　B.钢笔　　　　　　　C.本子

张梅一个星期练习 ＿＿＿ 书法。

A.一次　　　　　　　B.两次　　　　　　　C.三次

Step 2 再听一至两遍录音，然后选择正确答案。Listen again and then make a choice.

张梅练习的是 _____。

A. 楷书　　　　　　B. 行书　　　　　　C. 草书

练习书法对健康 _____。

A. 有好处　　　　　B. 没有好处　　　　C. 有坏处

 交际任务 Communication Tasks

Step 1 角色扮演 Role-Play

角色 Role
一位外国学生和一位中国朋友
A foreign student and his/her Chinese friend

任务 Assignment
中国朋友的字写得很好。外国学生问这位中国朋友应该怎样练习书法。
The Chinese friend is very good at calligraphy. The foreign student asks his/her Chinese friend how to do it.

Step 2 交际体验 Communication Practice

 马克原来最怕写汉字。今年暑假，他参加了书法培训班。他每天练习两个小时书法。现在马克写的汉字很好看。他也变得更细心了。
题目：我喜欢写汉字了！

 Originally, Mark was afraid of writing Chinese characters. This summer, he took a calligraphy training course. Everyday, he practices calligraphy two hours. Now, Mark's handwriting is much better. He becomes more patient too.
Topic: I like writing Chinese characters now!

第 二 部 分

Part 2 生 词 与 短 语 **Words & Phrases**

挂 (画) guà(huà)	hang (a picture up on the wall)	欣赏 xīnshǎng	appreciate, enjoy
一般 yìbān	general, ordinary	国画 guóhuà	traditional Chinese painting
宣纸 xuānzhǐ	a high quality paper good for traditional Chinese calligraphy	油画 yóuhuà	canvas
专门 zhuānmén	special	真实 zhēnshí	true
想象 xiǎngxiàng	imagine	画展 huàzhǎn	exhibition of paintings
		参观 cānguān	visit

关 键 句 Key Sentences

这 是 在 布上　画 的 还是 在 纸上　画 的?
Zhè shì zài bùshang huà de háishì zài zhǐshang huà de?
Where does this painting paint, paper or canvas?

我 更　喜欢　油画, 因为　油画　更　真实。
Wǒ gèng xǐhuan yóuhuà, yīnwèi yóuhuà gèng zhēnshí.
I like canvas even more, because canvas is more realistic.

中国画　　很 有 特点。
Zhōngguóhuà hěn yǒu tèdiǎn.
Traditional Chinese paintings is something different.

实景对话　Dialogue

马克：　刘老师,除了字,您家　墙上　还挂了不少　画啊。
Mǎkè:　Liú lǎoshī, chú le zì, nín jiā qiángshàng hái guà le bù shǎo huà a.

刘老师：　这些　都是　中国　画。
Liú lǎoshī:　Zhèxiē dōu shì Zhōngguó huà.

马克：　(指着　墙上　的画) 这是在布上画的还是在纸
Mǎkè:　(Zhǐzhe qiángshàng de huà) zhè shì zài bùshàng huà de háishi zài zhǐ

上　画的?
shàng huà de?

刘老师：　在　纸上　画的。
Liú lǎoshī:　Zài zhǐshàng huà de.

马克：　这　纸看起来　有点儿 特别。
Mǎkè:　Zhè zhǐ kàn qǐlái yǒudiǎnr tèbié.

刘老师：　对,这不是　一般　的纸,是宣纸,是　专门　用来
Liú lǎoshī:　Duì, zhè bùshì yībān de zhǐ, shì xuānzhǐ, shì zhuānmén yònglái

画　中国　画和写　毛笔字的。
huà Zhōngguó huà hé xiě máobǐ zì de.

马克：　画　中国　画也是用　毛笔和墨吗?
Mǎkè:　Huà Zhōngguó huà yě shì yòng máobǐ hé mò ma?

刘老师：　是。
Liú lǎoshī:　Shì.

马克：　您　喜欢　画 中国　画 吗?
Mǎkè:　Nín xǐhuan huà Zhōngguó huà ma?

刘老师：　我 喜欢 画　中国　画。你喜欢　中国　画吗?
Liú lǎoshī:　Wǒ xǐhuan huà Zhōngguó huà, Nǐ xǐhuan Zhōngguó huà ma?

语言注释

还是：　Expressing a preference for an alternative. For example: 你是老师还是学生? 你到底是去还是不去?

起来：　It is used after a verb or adjective to indicate the beginning or continuation of an action. For example: 天很阴,看起来要下雨 | 这种鞋很软,穿起来很舒服。

语言注释

宣纸：　*Xuan* paper is one kind of high quality paper which is good for traditional Chinese calligraphy and painting. The beginners do not have to use it.

马克: 还 可以，我 更 喜欢 油画，因为 油画 更 真实。
Mǎkè: Hái kěyǐ, wǒ gèng xǐhuan yóuhuà, yīnwèi yóuhuà gèng zhēnshí.

刘老师: 中国 画 很 有 特点。下次 有 中国 画 画展，
Liú lǎoshī: Zhōngguó huà hěn yǒu tèdiǎn. Xiàcì yǒu Zhōngguó huà huàzhǎn,

我们 一起去 参观 吧，慢慢 你 就会 喜欢 的。
wǒmen yīqǐ qù cānguān ba, mànmàn nǐ jiù huì xǐhuan de.

Mark:	Professor Liu, besides those calligraphy works, there are many paintings hung up on the wall.
Teacher Liu:	Those are traditional Chinese paintings.
Mark:	Where does this painting paint, on paper or on canvas?
Teacher Liu:	It's on paper.
Mark:	This paper looks different.
Teacher Liu:	Yes, it's nothing but *xuan* paper which is good for traditional Chinese painting and calligraphy.
Mark:	Does Chinese painting need brush pen and ink also?
Teacher Liu:	Yes.
Mark:	Do you like to paint?
Teacher Liu:	Yes, I do. Do you like Chinese painting?
Mark:	It's so-so. However, I like canvas even more, because canvas is more real.
Teacher Liu:	Chinese painting is something different. Next time, if there is an exhibition of Chinese painting, you can go with us. You will like Chinese painting soon.

活 动 Activities

 口语任务 Speaking Tasks

Step 1 连线搭配 Match

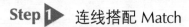

欣赏 xīnshǎng 挂 guà 参观 cānguān 写 xiě

画展 huàzhǎn 毛笔字 máobǐzì 中国画 Zhōngguóhuà 画 huà

Step 2 选词填空 Fill in the Blanks

◆ 这件衣服的样子比较 ＿＿＿。
◆ 你 ＿＿＿ 什么时候出发?
◆ 这是你的 ＿＿＿ 想法吗?
◆ 我们一起去 ＿＿＿ 车展吧。
◆ 我很喜欢 ＿＿＿ 古典音乐。

决定　　特别
参观　　欣赏
真实

Step 3 替换练习 Substitution

这 是 要…… zhè shì yào	这 是 要 贴 在 墙 上 的。 Zhè shì yào tiē zài qiáng shàng de.
	写 到 本子 上 xiě dào běnzi shàng 挂 到 网 上 guà dào wǎng shàng
是…… 还是…… shì　　hái shi	你 是 回家 还是 去 图书馆? Nǐ shì huí jiā hái shi qù túshūguǎn?
	坐 火车　　坐 飞机 zuò huǒchē　　zuò fēijī 买　　　　　不 买 mǎi　　　　　bù mǎi
…… 看起来…… kànqǐlái	你 的 衣服 看起来 有点 大。 Nǐ de yīfu kànqǐlái yǒudiǎn dà.
	你 的 脸　　　　有点　红 nǐ de liǎn　　　　yǒudiǎn hóng 鞋　　　　　　有点　小 xié　　　　　　yǒudiǎn xiǎo
我 更 喜欢……，因为…… wǒ gèng xǐhuan　yīnwèi	我 更 喜欢 那件 衣服，因为 那件　　颜色 好。 Wǒ gèng xǐhuan nà jiàn yīfu, yīnwèi nà jiàn　　yánsè hǎo.
	带 小 词典　　　小 词典 好 带 dài xiǎo cídiǎn　　xiǎo cídiǎn hǎo dài 坐 火车　　　　坐 火车 安全 zuò huǒchē　　　zuò huǒchē ānquán

听力任务 Listening Tasks

Step 1 先听一遍录音，然后选择正确答案。Listen and then make a choice.

马克要去看 ▆▆▆▆▆ 。

A. 画展　　　　　　B. 电影　　　　　　C. 戏剧

范曾是一位 ▆▆▆▆ 。

A. 老师　　　　　　B. 演员　　　　　　C. 画家

Step 2 再听一至两遍录音，然后选择正确答案。Listen again and then make a choice.

范曾最擅长 ▆▆▆▆ 。

A. 演正面人物　　　B. 画人物　　　　　C. 教汉语

他们决定第二天 ▆▆▆▆▆ 见面。

A. 8点　　　　　　B. 8点半　　　　　C. 9点

 交际任务 Communication Tasks

Step 1 角色扮演 Role-Play

角 色 Role

两个外国学生。Two foreign students

任 务 Assignment

两个人分别搜集一些自己喜欢的一个画家的画作，拿给对方看，向他介绍这个画家。

Each of the students should bring some paintings of an artist. Show those paintings to the other student and introduce this artist to the other student.

Step 2 交际体验 Communication Practice

一个学生给另一个学生打电话,希望对方跟他一起去参观一个展览,并说这个展览很棒。
题目:去看展览。

One student calls another student. One asks the other to see an exhibition by telling him/her how wonderful the exhibition is.

Topic: Go to see an exhibition.

文化窗口 Culture Window

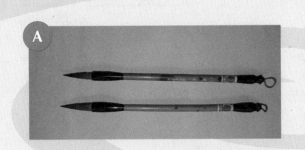

笔:毛笔有很长的历史,根据考古资料,在新石器时代的陶器上,就有使用最原始的毛笔画的花纹了。做笔的材料有很多种,包括兔毛、羊毛、鼠毛、狐毛、狼毛等等。从性能上说可分成三类,即软毫、硬毫和兼毫三种。

墨:墨是以矿物制成的颜料。墨色有浓、淡、干的区别。一般来说,写楷书或大字用浓墨,写行草或小字用淡墨。中国墨的杰出代表就是徽墨。上等的墨水可以在书写数千年之后仍保持墨色。

A Brush pen has a long history. According to the archaeological information, in neolithic time, there are already lines drawn by brush pen on pottery. Materials used to make the brush pen include the hair of rabbit, sheep, mice, fox, and wolf. The brush pen can be divided into three different types, soft pen, hard pen and the pen in between.

B Ink is made from mineral. There is thick ink, as well as thin ink. To write big characters, we often use thick ink. To write small characters, we often use thin ink. Ink of Anhui is the best. The characters writen by high quality ink will not fade even after a thousand years.

C Xuan paper is the king of the paper. It is made in Xuancheng of Anhui. There is a legend about the paper. During the Han Dynasty, Cai Lun's apprentice named Kong Dan was making paper in southern Anhui. He wanted to make the best paper for his teacher. However, he failed. Many years had passed. Ond day, when Kong Dan was walking on the side of a spring, suddenly, he saw an old white sandal falling into the water. Since it had been into the water for a long time, the skin of the tree turned

C

white. Many clean and long fibers of the tree skin were exposed. Kong Dan started to make paper with the sandal skin. He tried many times, and finally he succeeded. The paper he made is called Xuan paper.

D Ink stone is the tool to prepare Chinese ink. Six thousands years ago, we had already had ink stone made of stones. Later, there are pottery ink stone, brick ink stone, and jade ink stone. Among them, ink stone made of stone is the best. Ink stone of the Duan and ink stone of the She are the most famous ink stones of China.

宣纸:宣纸被称为"纸中之王",原产于安徽宣城一带。有一个动人的传说:东汉时,蔡伦的弟子孔丹在皖南造纸,他想造出世上最好的纸给老师画像,很多年都没有造好。有一天,孔丹在峡谷溪边散步,突然看见一棵古老的青檀树,倒在溪水里,由于流水长年冲洗,树皮腐烂变白,露出许多修长而干净的纤维,孔丹把檀树皮用来造纸,经过很多次试验,终于造成,这就是后来的宣纸。

阅读后判断:
① 做毛笔的材料有三种。
② 浓墨适合写大字。
③ 宣纸是蔡伦造的。
④ 最好用的砚是玉砚。

D

砚:又叫砚台,是用来磨墨的工具。早在六千年前就有了原始石砚。后来又有陶砚,砖砚、玉砚等种类。不管是古代还是现代,最普遍最好用的砚还是石砚。最著名的石砚是广东肇庆(古代端州)的端砚和安徽歙县(古代歙州)的歙砚。

文化拓展 General Knowledge of Chinese Culture

亡 羊 补 牢
wáng yáng bǔ láo

Mind the fold after the sheep is lost.fig.take remedial measures after loss is done to prevent further losses; better late than never.

学汉字　Word Formation

竹
zhú

bamboo, 像竹子的样子。

The Character looks like the shape of bamboo.

节 (節)
jié

"即"是这个字的声旁。

The "即" is the sound element of the word.

节日 jiérì, traditional holiday or festival; 春节 Chūnjié,

the spring Festival。

篇
piān

"扁"是这个字的声旁。

The "扁" is the sound element of the word.

篇章 piānzhāng, sections and chapters; 篇目

piānmù, chapter title of a book。

第九课 低头思故乡
dì jiǔ kè dì tóu sī gùxiāng

目标 Objectives

✔ 学习诗歌《静夜思》

Understanding the content of "*Jing ye si*"

✔ 了解唐诗最主要的语言特点

Learn the characteristics of the poetry of the Tang Dynasty

李白
Lǐ Bái

唐诗
tángshī
poems of the Tang Dynasty

唐朝
tángcháo
Tang Dynasty

宁静
níngjìng
quiet

第 一 部 分

Part 1　生词与短语　Words & Phrases

教 jiāo	teach	
诗 shī	poem	
明白 míngbai	understand	
诗人 shīrén	poet	
深夜 shēnyè	late at night	
床边 chuángbiān	bedside	
以为 yǐwéi	conceive	

结霜 jiéshuāng	frost
抬头 táitóu	look up
思念 sīniàn	have in mind
故乡 gùxiāng	native place, old home
题目 tímù	title (of a poem)
宁静 níngjìng	quiet

关键句　Key Sentences

教 女儿 学 唐诗。
Jiāo nǚér xué tángshī.
Teach daughter to read poems of the Tang Dynasty.

抬 起 头 来 看 月亮。
Tái qǐ tóu lái kàn yuèliang.
Raising my head, I look at the bright moon.

这 是 谁 写 的 诗?
Zhè shì shuí xiě de shī?
Who wrote this poem?

我们 一起学。
Wǒmen yīqǐ xué.
Let's read together.

实景对话 Dialogue

(刘老师　正在教女儿刘芳　学一首　唐诗，他的外国　学生　马克来了……)
(Liú lǎoshī zhèng zài jiāo nǚ'ér Liú Fāng xué yīshǒu tángshī, tā de wàiguó xuésheng Mǎkè lái le……)

刘芳：　(大声读)　床　前明　月光，疑是地上　霜。……
Liú Fāng:　(dà shēng dú)Chuáng qián míng yuèguāng, yí shì dì shàng shuāng.……

马克：刘老师，您在干　什么?
Mǎkè:　Liú lǎoshī, nín zài gàn shénme?

刘老师：我在教女儿学　唐诗。
Liú lǎoshī:　Wǒ zài jiāo nǚ'ér xué tángshī.

马克：唐诗?
Mǎkè:　Tángshī?

刘老师：就是　唐朝　时候的人写的诗。
Liú lǎoshī:　Jiù shì tángcháo shíhou de rén xiě de shī.

马克：我可以　看看　吗?
Mǎkè:　Wǒ kěyǐ kànkan ma?

刘老师：当然　可以。
Liú lǎoshī:　Dāngrán kěyǐ.

马克：(看了一会儿)不　明白。这是谁写的诗呀?
Mǎkè:　(kàn le yīhuìr) Bù míngbai. Zhè shì shuí xiě de shī ya?

刘芳：(抢　着　说)叔叔，我告诉你。是　唐朝　大　诗人李白!
Liú Fāng:　(qiǎng zhe shuō) Shūshu, wǒ gàosù nǐ. Shì tángcháo dà shīrén Lǐ bái!

马克：哦，谢谢!
Mǎkè:　Ó,　xièxie!

刘老师：这　首诗说，深夜白色的　月光　照到　床边，
Liú lǎoshī:　Zhè shǒu shī shuō, shēnyè báisè de yuèguāng zhào dào chuángbiān,

我 以为是 地上 结了 霜。我 抬起头 来看 天上
wǒ yǐwéi shì dìshàng jié le shuāng. Wǒ tāi qǐ tōu lái kàn tiānshang

的 月亮，又 低下头 来思念我的 故乡。
de yuèliang, yōu dī xià tōu lái sīniàn wǒ de gùxiāng.

马克： 就是 晚上 想 家了吧?
Mǎkè: Jiū shì wǎnshang xiǎng jiā le ba?

刘老师：对，所以题目叫"静 夜 思"，就是在 宁静 的 夜晚
Liú lǎoshī: Duì, suǒyǐ tímù jiāo "Jìng yè sī", jiū shì zāi níngjìng de yèwǎn

思念 故乡。
sīniàn gùxiāng.

马克： 有意思。刘老师，您 也 教我 学 唐诗 吧。
Mǎkè: Yǒu yì si. Liú lǎoshī, nín yě jiāo wǒ xuē tángshī ba.

刘老师：好 哇，我 教你学 唐诗。
Liú lǎoshī: Hǎowa, wǒ jiāo nǐ xuē tángshī.

刘芳： 我们 一起 学，我们 一起 学!
Liú Fāng: Wǒmen yīqǐ xuē, wǒmen yīqǐ xuē!

语 言 注 释
唐朝: Tang Dynasty,
618 — 907.

Mark:	Professor Liu, what are you doing?
Teacher Liu:	I am teaching my daughter to read poems of the Tang Dynasty.
Mark:	Poems of the Tang Dynasty?
Teacher Liu:	That means poems written by poets of the Tang Dynasty.
Mark:	May I have a look?
Teacher Liu:	Of course.
Mark:	I don't understand. Who wrote this poem?
Liu Fang:	Uncle, let me tell you. The writer is Li Bai, a great poet of the Tang Dynasty.
Mark:	Thanks!
Teacher Liu:	This poem tells us: Before my bed a pool of light; It looks like hoar-frost on the ground. Raising my head, I look at the bright moon; bending my head, I think of my old home.

Mark:	The writer must be missing his family at night.
Teacher Liu:	Yes, that's why the title of the poem is "Thinking of hometown at a quiet night".
Mark:	It's interesting. Professor Liu, can you teach me some poems of the Tang Dynasty?
Teacher Liu:	I'll be glad to.
Liu Fang:	Let's read together, let's read together!

活　动　Activities

 口语任务 Speaking Tasks

Step 1 看图说话 Look at the Illustrations and Speak

静　夜思 (李白)
Jìng yè sī (lǐbái)

床前　　明　月光,
Chuángqián míng yuèguāng,

疑是　地上　霜。
Yí shì dìshàng shuāng.

举头　望　明月,
Jǔ tóu wàng míngyuè,

低头思故乡。
Dī tóu sī gùxiāng.

Step 2 连线搭配 Match

抬
tái

学
xué

思念
sīniàn

不
bù

明白　　　　唐诗　　　　头　　　　故乡
míngbai　　　tángshī　　　tóu　　　gùxiāng

Step 3 替换练习 Substitution

v. 的是…… de shì	女儿 学 的是 唐诗。 Nǚér xué de shì tángshī.
	姐姐 看 外国 电影 jiějie kàn wàiguó diānyǐng
	妈妈 买 衣服 māma mǎi yīfu
这 是 谁…… zhè shì shuí	这 是 谁 写 的 诗? Zhè shì shuí xiě de shī?
	买 车 mǎi chē
	画(v.) 画(n.) huà huà
我们 一起…… wǒmen yīqǐ	我们 一起学 唐诗。 Wǒmen yīqǐ xué táng shī.
	买 东西 mǎi dōngxi
	去 上课 qù shàngkè

 听力任务 Listening Tasks

Step 1 先听一遍录音，然后选择正确答案。Listen and then make a choice.

林华 ▓▓▓▓▓▓▓ 唐诗。

A. 学过　　　　　B. 没学过　　　　　C. 正在学

马克 ▓▓▓▓▓▓▓ 唐诗。

A. 不喜欢　　　　B. 喜欢　　　　　　C. 非常喜欢

Step 2 再听一至两遍录音，然后选择正确答案。Listen again and then make a choice.

马克 ▓▓▓▓▓▓▓ 明白唐诗的意思。

A. 能　　　　　　B. 不能　　　　　　C. 不完全能

现在他们准备 ＿＿＿＿＿＿＿＿＿＿。

A. 去教室　　　　　　B. 去图书馆　　　　　　C. 去书店买书

 交际任务 Communication Tasks

Step 1 ▶ 角色扮演 Role-Play

角 色 Role
老师和学生 A Teacher and a Student

任 务 Assignment
　学习了李白的《静夜思》之后，学生对唐诗产生了很浓厚的兴趣。他要求老师再教他别的唐诗 。于是老师又教他学《春晓》，并具体讲解诗的意思。

After reading the poem of *Jing ye si*, the student becomes very interested in the poetry of the Tang Dynasty. He asks the teacher to teach him another poem. The teacher tells him the poem *Chun Xiao*.

Step 2 ▶ 交际体验 Communication Practice

 学 了李白的《静夜思》之后，请一位同学背诵这首诗，请另一位同学给大家讲讲这首诗的意思。
题目：《静夜思》

E ach of the student tells the content of the poem "*jing ye si*" to the whole class.
Topic: Jing Ye Si

第 二 部 分

Part 2　　生 词 与 短 语　Words & Phrases

发现 fāxiàn	discover	最后 zuìhòu	finally, in the end
字数 zìshù	word count	共同点 gòngtóngdiǎn	common ground
除了 chúle	besides, except	押韵 yāyùn	rhyme
每句 měijù	each sentence		

关键句　Key Sentences

我 有 一 个 发现。
Wǒ yǒu yī gè fāxiàn.
I have found something.

唐诗 的 每 一句 的 字数 一般 都 一样。
Tángshī de měi yījù de zìshù yībān dōu yīyàng.
Each sentence of the poems of the Tang Dynasty has the same number of words.

好好 学 吧。
Hǎohao xué ba.
Exert oneself to learn.

实景对话 Dialogue

(马克 在读:"床前　　明　月光, 疑是　地上　霜。举头　望　明月, 低头
(Mǎkè zài dú: "Chuángqián míng yuèguāng, yí shì dìshàng shuāng. Jǔ tóu wàng míngyuè, dī tóu

思　故乡。")
sī gùxiāng.")

马克: 刘老师, 我 有 一个 发现……
Mǎkè: Liú lǎoshī, wǒ yǒu yīgè fāxiàn……

刘老师: 什么　发现?
Liú lǎoshī: Shénme fāxiàn?

马克: 我 发现, 唐诗　每 一句 的 字数 一般 都 一样。
Mǎkè: Wǒ fāxiàn, tángshī měi yījù de zìshù yībān dōu yīyàng.

刘老师: 你 说得 很 对。另外, 第一、二、四句 的 最后 一个字
Liú lǎoshī: Nǐ shuōde hěn duì. Lìngwài, dì yī、 èr、 sì jù de zuìhòu yīgè zì

还有 一个　共同点。
háiyǒu yīgè gōngtóngdiǎn.

马克: 是　什么?
Mǎkè: Shì shénme?

刘老师: 你 读一下 " 光、　霜、　乡 ", 发现 了 什么?
Liú lǎoshī: Nǐ dú yīxià "guāng、 shuāng、 xiāng", fāxiàn le shénme?

马克: 读音　差不多。
Mǎkè: Dúyīn chàbuduō.

刘老师: 对, 这就 是 押韵。
Liú lǎoshī: Duì, zhè jiù shì yāyùn.

马克: 唐诗　多 吗?
Mǎkè: Tángshī duō ma?

刘老师: 有 好几万 首 呢!
Liú lǎoshī: Yǒu hǎo jǐ wàn shǒu ne!

马克: 哇, 这么 多!
Mǎkē: Wa, zhème duō!

刘老师: 是 呀, 好好 学 吧。
Liú lǎoshī: Shì ya, hǎohao xué ba.

Mark:	Professor Liu, I think I have found something…
Teacher Liu:	What have you found?
Mark:	I found that each sentence of the poem have the same number of words.
Teacher Liu:	You are right. Besides that, there is also a common ground about the last word of the first, second and fourth sentence.
Mark:	What is it?
Teacher Liu:	Try to read them, "guang", "shuang", and "xiang", What have you found?
Mark:	The pronunciations of these words are very close.
Liu Fang:	Yes, we call it rhyme.
Mark:	How many poems of the Tang Dynasty are there?
Teacher Liu:	There are over ten thousands.
Mark:	Oh, so many.
Teacher Liu:	Yes, you really have to study very hard.

活 动 Activities

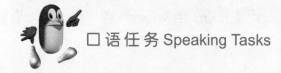

口语任务 Speaking Tasks

Step ① 连线搭配 Match

读   好好   有   读音
dú   hǎohao   yǒu   dúyīn

差不多   唐诗   学习   共同点
chàbuduō   tángshī   xuéxí   gòngtóngdiǎn

Step 2 选词填空 Fill in the Blanks

发现　　　　学

共同点

好好　　　　要求

◆ ＿＿＿＿＿＿　新大陆。
◆ 有很多 ＿＿＿＿＿＿ 。
◆ 唐诗 ＿＿＿＿　押韵。
◆ 我要 ＿＿＿＿＿　唐诗。
◆ ＿＿＿＿＿＿　学习，天天向上。

Step 3 替换练习 Substitution

我 有 一个 发现，我 发现…… wǒ yǒu yīgè fāxiàn, wǒ fāxiàn	我 有 一个 发现，我 发现 每句 字数 都 一样。 Wǒ yǒu yīgè fāxiàn, wǒ fāxiàn měijù zìshù dōu yīyàng.
	我们 的 年龄 差不多 wǒmen de niánlíng chàbùduō
	这 次 大家 成绩 都 很棒 zhè cì dàjiā chéngjì dōu hěnbàng
这 是……的 要求 zhè shì de yāoqiú.	这 是 古代 诗歌 的 要求。 Zhè shì gǔdài shīgē de yāoqiú.
	老师 lǎoshī
	这次 考试 zhècì kǎoshì
你 必须…… nǐ bìxū	你 必须 好好 学习。 Nǐ bìxū hǎohao xuéxí.
	按时 上课 ànshí shàngkè
	参加 考试 cānjiā kǎoshì

听力任务 Listening Tasks

Step 1　先听一遍录音，然后选择。Listen and then make a choice.

唐诗是中国古代诗歌中水平▮▮▮▮▮▮▮▮。
A. 一般的　　　　　　B. 最好的　　　　　　C. 最差的

唐诗每一句一般都是▮▮▮▮▮▮▮。
A. 5或7个字　　　B. 5个字　　　　C. 7个字

Step 2　再听一至两遍录音，然后选择。Listen again and then make a choice.

唐诗每首诗一般都是▮▮▮▮▮▮▮。
A. 4句话　　　　　B. 8句话　　　　　C. 4句或8句话

唐代最著名的三位诗人是▮▮▮▮▮▮、杜甫和白居易。
A. 屈原　　　　　B. 孔子　　　　　C. 李白

 交际任务 Communication Tasks

Step 1　角色扮演 Role-Play

角 色 Role
两个国别不同的学生
Two students from two different countries

任 务 Assignment
　请这两位同学分别介绍一首本国最著名的诗，包括作者、时间、内容和意思。
　Tell each other one of the famous poems of their countries including the writer, writing time, the content and the meaning of the poem.

Step 2 交际体验 Communication Practice

加拿大留学生马克在学了李白的《静夜思》之后，给他的妈妈打电话说他想家了。

题目：我在中国学唐诗。

After reading Li Bai's poem, a Canadian student Mark calls his mother and tells his mother that he misses her.

Topic: I am learning the poetry of the Tang Dynasty

文化窗口 Culture Window

中国的诗歌和小说
China's Poems and Novels

李白是唐代最著名的诗人之一，又称"诗仙"。李白很有才华，喜欢饮酒。他诗歌的主要特点是充满浪漫色彩，而且琅琅上口①。便于朗诵。他一生写了很多诗，流传下来的只有900多首。

杜甫是唐代最著名的两个诗人之一，与李白齐名，被称为"诗圣"。他诗歌的主要特色是反映现实生活，所以又称"诗史"。他的诗流传下来的有1400多首。

A Li Bai was one of the most famous poet of the Tang Dynasty. He was also called poet-immortal. Li Bai was a literary talent. He liked drinking. The main characters of his poems are romantic and easy to read. He wrote many poems. However, there are only 900 poems remained.

B Du Fu was one of the two most famous poets of the Tang Dynasty. He was eponymous with Li Bai and was called poet-sage. Du Fu was a little younger than Li Bai. The main character of his poems is realistic. This is why his poems are also called historical poems. He wrote many poems and over 1,400 poems remained.

C "Dream of the red chamber" is one of the best novel of ancient China. The author is Cao Xueqin. It was written during the middle of the Qing Dynasty. The main content of the novel is a love story. Through the story telling, the author exposes the evil and the decline of the feudal society.

D "Journey to the west" is one of the four most famous novels of China. It is a mythical novel. The author is Wu Cheng'en. The

main content of the novel is how the Tang monk and his apprentice, the Monkey King and other apprentices went to the Western Heaven to acquire scriptures. The novel is based on the real experiences of the Tang monk, Xuanzang, who went to the ancient India to acquire scriptures.

《红楼梦》是中国古代最优秀的长篇小说之一，作者是曹雪芹，写于清朝②中期，主要内容是通过两个青年男女的爱情故事，来反映封建家族的衰亡过程，揭露封建制度的罪恶。

《西游记》是古代四大名著之一，是一部长篇神话小说，作者吴承恩。主要写唐僧和孙悟空等师徒四人去西天③取经的故事。它是在唐代玄奘法师去天竺④取经故事基础上演化而来的。

注　释
①the sound of reading aloud ②the Qing Dynasty(1616-1911) ③Heaven, ancient Chinese Buddhists' name for India.④ The ancient name for lndia.

阅读后判断：
① 李白号称"诗仙"，杜甫号称"诗圣"。
② 李白流传下来的诗比杜甫多。
③《红楼梦》是中国古代最著名的小说。
④《西游记》不是神话小说。

文化拓展 General Knowledge of Chinese Culture

hóuzi chī làjiāo　　　zhuā ěr náo sāi
猴子吃辣椒 —— 抓耳挠腮

Tweak one's ears and scratch one's cheeks (as a sign of anxiety or delight)

学汉字 Word Formation

月
yuè

moon, 像月亮的样子。
The character looks like the shape of the Moon.

期
qī

"其"是这个字的声旁。
The "其" is the sound element of the word.
星期 xīngqī, week; 日期 rìqī, date。

朗
lǎng

"良"是这个字的声旁。
The "良" is the sound element of the word.
朗读 lǎngdú, read aloud; 爽朗 shuǎnglǎng open-minded and straightforward.

10 The *Siheyuan* of Beijing

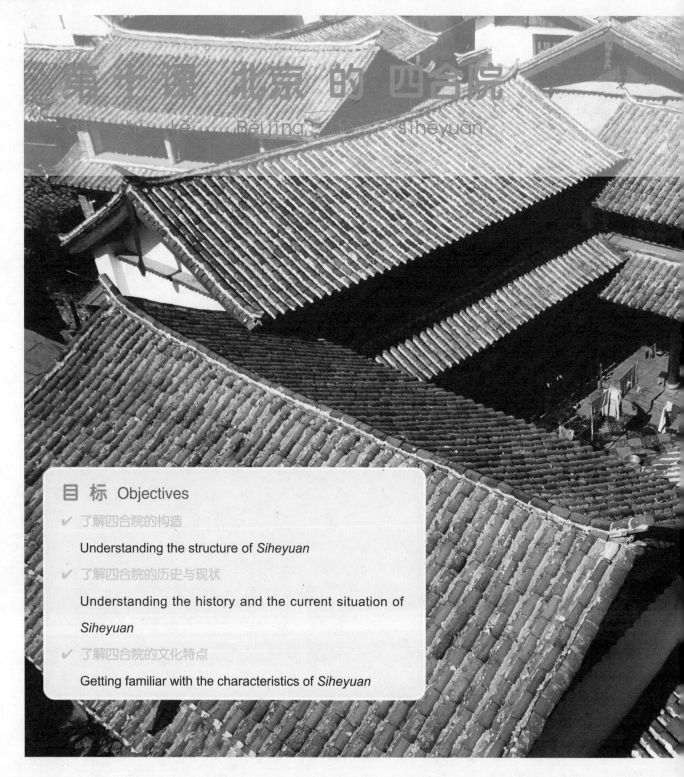

第十课 北京的四合院

dì shí kè Běijīng de sìhéyuàn

目 标 Objectives

✔ 了解四合院的构造

Understanding the structure of *Siheyuan*

✔ 了解四合院的历史与现状

Understanding the history and the current situation of

Siheyuan

✔ 了解四合院的文化特点

Getting familiar with the characteristics of *Siheyuan*

四合院
sìhéyuàn
Siheyuan

大宅门
dàzháimén
big gate house

四合院　门口
sìhéyuàn ménkǒu
the door of the *Siheyuan*

第一部分

Part 1　生词与短语　Words & Phrases

四合院 sìhéyuàn	*Siheyuan*, a compound with houses around a square courtyard
传统 chuántǒng	tradition
建筑 jiànzhù	construction
合围 héwéi	surround

大概 dàgài	probably
大宅门 dàzháimén	big gate house
算 suàn	count as, regard as
座 (量词) zuò (liàngcí)	a measure word (for mountains, buildings, etc.)

关键句　Key Sentences

我 常 听 人们 说 北京 的 四合院 很 有 名。
Wǒ cháng tīng rénmen shuō Běijīng de sìhéyuàn hěn yǒu míng.
I have heard that *Siheyuan* of Beijing is very famous.

四面 房子 合围 出 一个 院子，所以 叫 四合院。
Sìmiàn fángzi héwéi chū yīgè yuànzi, suǒyǐ jiào sìhéyuàn.
The reason we call it *Siheyuan* is because it's a compound with houses around a square courtyard.

不 一样，有 大的，也 有 小的。
Bù yīyàng, yǒu dàde, yě yǒu xiǎode.
They are different, some are big, and some are small.

不算 多。
Bùsuàn duō.
We don't say that is a lot.

我们 什么 时候 也 去 参观 参观，怎么样？
Wǒmen shénme shíhou yě qù cānguān cānguān, zěnmeyàng?
When can we go and visit there?

实景对话 Dialogue

马克: 刘老师,我 常 听 人们 说 北京 的 四合院 很
Mǎkè: Liú lǎoshī, wǒ cháng tīng rénmen shuō Běijīng de sìhéyuàn hěn

有名。 您 说, 四合院 是 什么 样子 的?
yǒumíng. Nín shuō, sìhéyuàn shì shénme yàngzi de?

刘老师: 四合院 可 不光 是 北京 有, 很多 地方 都 有,
Liú lǎoshī: Sìhéyuàn kě bù guāng shì Běijīng yǒu, hěnduō dìfang dōu yǒu,

包括 南方 和 北方。四合院 是 中国 传统
bāokuò nánfāng hé běifāng. Sìhéyuàn shì Zhōngguó chuántǒng

居住 建筑 类型 的 一种。 四面 是 房子,合围 出
jūzhù jiànzhù lèixíng de yīzhǒng. Sìmiàn shì fángzi, héwéi chū

中间 一个 院子, 所以 叫 四合院。
zhōngjiān yīgè yuànzi, suǒyǐ jiào sìhéyuàn.

马克: 四合院 都 很大 吗?
Mǎkè: Sìhéyuàn dōu hěndà ma?

刘老师: 不一样, 有 大的, 也 有 小的。特别 大的 四合院 也 叫
Liú lǎoshī: Bù yīyàng, yǒu dàde, yě yǒu xiǎode. Tèbié dàde sìhéyuàn yě jiào

"大宅门"。
"dàzháimén".

马克: 现在 四合院 还 很 多 吗?
Mǎkè: Xiànzài sìhéyuàn hái hěn duō ma?

刘老师: 不算 多,北京 现在 大概 有 两千 座。
Liú lǎoshī: Bùsuàn duō, Běijīng xiànzài dàgài yǒu liǎngqiān zuò.

马克: 我们 什么 时候 也 去 参观 参观, 怎么样?
Mǎkè: Wǒmen shénme shíhou yě qù cānguān cānguān, zěnmeyàng?

刘老师：　好哇，　下 星 期　 我 带

Liú lǎoshī:　Hǎo wa, xiā xīngqī wǒ dài

你们　 去看。

nǐmen qù kàn.

语言注释

类型: type, category.

什么时候: sometime.

Mark: Professor Liu, I have heard that *Siheyuan* of Beijing is very famous. What does *siheyuan* look like?

Teacher Liu: *Siheyuan* is one type of traditional Chinese dwelling house. Besides Beijing, many places including southern and northern parts of China have this kind of house. The reason we call it *siheyuan* is because it's a compound with houses around a square courtyard.

Mark: Is *Siheyuanr* big?

Teacher Liu: They are different, some are big, and some are small. Big *siheyuan* is often called "big gate house".

Mark: Are there still many *Siheyuan* now?

Teacher Liu: Not so many. In Beijing, there are about 2,000 *Siheyuan* remained.

Mark: When can we go and visit *Siheyuan*?

Teacher Liu: Next week, I will take you to visit *Siheyuan*.

活 动 Activities

口语任务 Speaking Tasks

Step 1　看图说话 Look at the Illustrations and Speak

这 是 老 北京 的 四合院。

Zhè shì lǎo Běijīng de sìhéyuàn.

这个　院子　真　漂亮!
Zhège yuànzi zhēn piàoliang!

这　是　大宅门。
Zhè shì dàzháimén.

Step 2　连线搭配 Match

一座
yīzuò

一张
yīzhāng

一本
yīběn

一件
yījiàn

衣服
yīfu

建筑
jiànzhù

书桌
shūzhuō

杂志
zázhì

Step 3　替换练习 Substitution

我　听　林　华　说，…… wǒ tīng Lín Huá shuō	我　听　林　华　说，你　妈妈　是　老师。 Wǒ tīng Lín Huá shuō, nǐ māma shì lǎoshī.
	他　以前　住　在　这儿 tā yǐqián zhù zài zhèr
	这次　考试　很难 zhècì kǎoshì hěnnán
	这是　一座老　房子 zhèshì yīzuò lǎo fángzi
……不　算 + adj. bù suàn	他们　的　学校　不　算　漂亮。 Tāmen de xuéxiào bù suàn piàoliang.
	他的　电视机　　　　很旧 tāde diànshìjī　　　　hěnjiù
	她的　汉语　水平　　特别　差 tāde hànyǔ shuǐpíng　tèbié chà

	这个　城市　的　建筑　　独特 zhège chéngshì de jiànzhù　dútè
他 一年 就…… tā yīnián jiù	他 一年 就写出 一本　小说。 Tā yīnián jiù xiěchū yīběn xiǎoshuō.
	翻译　三本　英文　书 fānyì sānběn yīngwén shū
	编 了5本　教材 biān le wǔběn jiàocái
有的……，也有……的 yǒu de　yě yǒu　de	我 有　很多　朋友， 有 胖 的,也有 瘦 的。 Wǒ yǒu hěnduō péngyou, yǒu pàng de, yě yǒu shòu de.
	几本汉语书　　好　　　不好 jǐběn hànyǔshū　hǎo　　bùhǎo
	好多衣服　　白色　　红色 hǎoduō yīfu　báisè　hóngsè
从……开始，就…… cóng　kāishǐ, jiù	从　去年　开始，　（他）就住 这里 了。 Cóng qùnián kāishǐ,　(tā) jiù zhù zhèlǐ le.
	明代　　　有 这个 建筑 了 míngdài　yǒu zhège jiànzhù le
	昨天　　晚上　（他）不 舒服 zuótiān wǎnshang　(tā) bù shūfu

听力任务 Listening Tasks

Step 1 先听一遍录音，然后选择正确答案。Listen and then make a choice.

玛丽以前 ＿＿＿＿ 四合院。

A.看过　　　　　　B.没看过　　　　　　C.不知道

小方决定 ＿＿＿＿ 玛丽去四合院。

A.陪　　　　　　B.不陪

Step 2 再听一至两遍录音，然后选择正确答案。Listen again and then make a choice.

小方 ▨▨▨▨ 四合院。

A. 从小生活在 　　　　B.以前也没去过 　　　　C.上个月去的

明天上午 ▨▨▨▨ 要去四合院。

A.小方和玛丽 　　　　B.玛丽和马克 　　　　C.小方、玛丽和马克

交际任务 Communication Tasks

Step 1 角色扮演 Role-Play

> **角色 Role**
>
> 两个女学生 Two female students
>
> **任务 Assignment**
>
> 一个女学生想跟她朋友一起去参观四合院。她朋友介绍四合院的基本情况：形状、历史和自己对四合院的看法等。
>
> One student wants to go to visit *Siheyuan* with her friend. Her friend introduces the structure and the history of *Siheyuan*. She also tells her her own opinions about *Siheyuan*.

Step 2 交际体验 Communication Practice

李丽拿着一张故宫的照片，给外国朋友玛丽介绍故宫的情况，包括历史、建筑形式等。

题目：这个就是有名的故宫！

Li Li holds a photo of the Imperial Palace. She introduces the history, structure of the Imperial Palace to Mary.

Topic: This is the Imperial Palace !

第二部分

Part 2 生词与短语 Words & Phrases

正房 zhèngfáng	principal rooms (in a courtyard)		厢房 xiāngfáng	wing-room
通风 tōngfēng	ventilate		晚辈 wǎnbèi	the younger generation
对面 duìmiàn	the opposite side		聊天 liáotiān	chat
长辈 zhǎngbèi	eldership		温暖 wēnnuǎn	warm

关键句 Key Sentences

四合院 的 大门 都 开 在 东南 角。
Sìhéyuàn de dàmén dōu kāi zài dōngnán jiǎo.
The gate of *Siheyuan* is located at the south-east corner of the house.

门 朝南 的 房子 叫 正房
Mén cháonán de fángzi jiào zhèngfáng
Rooms facing south are called principal rooms.

东西 两边 的 房子 做 什么 用?
Dōngxī liǎngbiān de fángzi zuò shénme yòng?
What's the use of the two wing-rooms?

看来, 中国 人 喜欢 几代 人 一起 住。
Kànlái, Zhōngguó rén xǐhuan jǐdài rén yīqǐ zhù.
It seems that people of China like to live with their older generations.

实景对话 Dialogue

(星期天 刘老师 和 几个 学生 到 了 一座 四合院)
(Xīngqītiān Liú lǎoshī hé jǐgè xuésheng dào le yīzuò sìhéyuàn)

马克: 刘老师, 是 这个 吧? 怎么 大门 不 在 中间 呢? 奇怪!

Mǎkè: Liú lǎoshī, shì zhège ba? Zěnme dàmén bù zài zhōngjiān ne? qíguài!

刘老师: 对,四合院 的 大门 都 开在 东南 角, 中国人 认
Liú lǎoshī: Duì, sìhéyuàn de dàmén dōu kāi zài dōngnán jiǎo, Zhōngguórén rèn

为 这样 吉利。
wéi zhèyàng jílì.

马克: 哦,有意思。我们 进去 看 吧。
Mǎkè: Ò, yǒu yìsi. Wǒmen jìnqù kàn ba.

刘老师: 看, 这个 门 朝南 的 房子叫 正房, 高大, 阳
Liú lǎoshī: Kàn, zhè ge mén cháonán de fángzi jiào zhèngfáng, gāodà, yáng

光 好, 也 通风, 是 长辈 住 的 地方。
guāng hǎo, yě tōngfēng, shì zhǎngbèi zhù de dìfang.

林静: 那 对面 的 房子 呢?
Lín Jìng: Nà duìmiàn de fángzi ne?

刘老师: 对面 门 朝北 的 房子叫 "倒座", 是 堆放 杂物
Liú lǎoshī: Duìmiàn mén cháoběi de fángzi jiào "dàozuò", shì duīfàng záwù

的, 或是 大 家庭 中 男佣 住 的 地方。
de, huòshì dà jiātíng zhōng nányōng zhù de dìfang.

马克: 东西 两边 的 房子 做 什么 用?
Mǎkè: Dōngxī liǎngbiān de fángzi zuò shénme yòng?

刘老师: 东西 两边 的 叫 厢房, 是 晚辈 住 的。
Liú lǎoshī: Dōngxī liǎngbiān de jiào xiāngfáng, shì wǎnbèi zhù de.

林静: 中间 这 院子也很 不错 啊,有树,有花,还有
Lín Jìng: Zhōngjiān zhè yuànzi yě hěn búcuò a, yǒu shù, yǒu huā, hái yǒu

小鸟 呢。
xiǎoniǎo ne.

刘老师：是啊，这是大家聊天、休息的地方。
Liú lǎoshī: Shì a, zhè shì dàjiā liáotiān、xiūxi de dìfang.

马克：看来，中国人　喜欢几代人一起住。
Mǎkè: Kànlái, Zhōngguórén xǐhuan jǐ dài rén yīqǐ zhù.

刘老师：是的，　中国人　喜欢　温暖　的大家庭的　生活。
Liú lǎoshī: Shìde, Zhōngguórén xǐhuan wēnnuǎn de dà jiātíng de shēnghuó.

语言注释

中国人认为这样吉利： Chinese people believe that it is of high geomantic quality. During the past, we believed that the occation of the site of a house will have an influence on the fortune of a family. Now, we do not believe this anymore.

中国人喜欢几代人一起住： During the past, people like to live with older generations. However, young people tend to live alone today.

Mark:	Professor Liu, why the gate is not in the middle?
Teacher Liu:	The gate of *siheyuan* is often located at the south-east corner. Chinese people believe that.
Mark:	This is auspicious.
Teacher Liu:	Look, rooms facing south are called principal rooms. The principal rooms are ventilate and have enough lights. The older generation lives here.
Lin Jing:	What about the rooms facing north?
Teacher Liu:	They are calld "daozuo". These rooms are for sundry goods, or male servants of big familes.
Mark:	What's the use of east and west wing rooms?
Teacher Liu:	They are called "xiangfang". The younger generation lives there.
Lin Jing:	The courtyard of the house is nice. There are trees, flowers and birds.
Teacher Liu:	Yes, this is the place for family members chatting and having fun together.
Mark:	It seems that people of China like to live with the older generations.
Teacher Liu:	Yes, Chinese people like extended family life.

活 动　Activities

口语任务 Speaking Tasks

Step **1**　连线搭配 Match

天气　　房子　　白头　　大门
tiānqì　fángzi　báitóu　dàmén

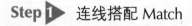

朝南　　　　到老　　　　暖和　　　　通风
cháonán　　dàolǎo　　nuǎnhuo　　tōngfēng

Step 2 选词填空 Fill in the Blanks

温暖　　聊天

通风　　中间

长辈　　对面

◆我妈妈很喜欢 ＿＿＿＿＿＿，我有时间就陪她说说话。
◆这个房子 ＿＿＿＿ 很好，所以夏天很凉快。
◆她家就住在我家 ＿＿＿＿。
◆在这里有很多人帮助我，我觉得很 ＿＿＿＿＿＿。
◆他是我的 ＿＿＿＿＿＿，我应该尊敬他。
◆他坐在我和小李 ＿＿＿＿，能跟我说话，也能跟小李说话。

Step 3 替换练习 Substitution

看来，…… kànlái	看来，你 妈妈 很 喜欢 你 女朋友 啊。 Kànlái, nǐ māma hěn xǐhuan nǐ nǚpéngyǒu a.
	他的 身体 有 问题 tā de shēntǐ yǒu wèntí
	他考 得不太好 tā kǎo de bù tài hǎo
……朝…… cháo	这 间 房子 朝 北。 Zhè jiān fángzi cháo běi.
	车头　　　　　东 chētóu　　　　dōng
	大门　　　　　南 dàmén　　　　nán
……对面 的…… duìmiàn de	他 住 在 ＿＿＿ 对面 的 楼里。 Tā zhù zài ＿＿＿ duìmiàn de lóulǐ.
	朋友　租了　　　　房子 péngyou zūle　　　fángzi
	我 妈妈 去了　　　超市 wǒ māma qù le　　chāoshì

……和……一起 hé yīqǐ	他 和 妈妈 一起 出去 了。 Tā hé māma yīqǐ chūqù le.
	爸爸弟弟 修 车 呢 bàba dìdi xiū chē ne
	老师 学生 打 球 呢 lǎoshī xuésheng dǎ qiú ne

 听力任务 Listening Tasks

Step 1 听一遍录音，然后选择正确的答案。Listen and then make a choice.

王阿姨以后不住在四合院了，她 _____ 。

A. 很高兴　　　　　B. 很不高兴　　　　　C. 不太高兴

王阿姨在这所四合院里住了 _____ 。

A. 10 多年　　　　　B. 20 多年　　　　　C. 30 多年

Step 2 再听一至两遍录音，然后选择。Listen again and then make a choice.

王阿姨 _____ 就要离开四合院了。

A. 第二天　　　　　B. 第三天　　　　　C. 第四天

王阿姨 _____ 要和大家一起在院子里拍张照片。

A. 30 分钟后　　　　B. 60 分钟后　　　　C. 90 分钟后

 交际任务 Communication Tasks

Step 1 角色扮演 Role-Play

角 色 Role
两个学生小林和小明，分别从北京和西安来。
Two students: Xiao Lin and Xiao Ming. Xiao Lin is from
Beijing, and Xiao Ming is from Xi'an.

任 务 Assignment
小林给小明讲四合院的情况：房子、院子、那里的
人们 等。
Xiao Lin introduces the structure, courtyard of
Siheyuan to Xiao Ming.

Step 2　交际体验 Communication Practice

小 明给自己的姐姐打电话讲述北京四合院的情况，并希望姐姐能跟他一起去参观北京的四合院。

题目：我们去看看四合院吧！

Xiao Ming calls his sister and tells her Beijing's *Siheyuan*. He hopes his sister can visit *Siheyuan* with him.

Topic: let's go to visit *Siheyuan* !

文化窗口 Culture Window

北京的四合院
The *Siheyuan* of Beijing

四合院是最能体现北京特色的建筑，四合院有很长的历史，早在西周时期就已经有四合院了。这种建筑因讲格局、讲款式、讲气派、重传统、院落布局完整、敞亮，尤其是一家长幼有序各居其室，方便又其乐融融，而深得中国人的喜爱。

现在，随着社会的发展，环境的变化，一个四合院中常常住着几家人。四合院的结构、布局也不像以前那么合理有序。四合院现在也叫"大杂院"。

A　*Siheyuan* is one of the most representative houses of China. *Siheyuan* has a long history. As early as in the Western Zhou Dynasty (c. 11th century-771B.C.), there were houses of *Siheyuan*. *Siheyuan* is known for its complete sturucture, reasonable layout, and rigid ranking. The rooms of *Siheyuan* are hierachical. There are rooms for people of older generation, as well as for people of younger generations. Chinese people like the life of extended family. This is one of the reasons why Chinese people like *Siheyuan*, and consider *Siheyuan* is as important as the Imperial Palace.

B　Now, because of the changing of the social and enviromental elements, one *Siheyuan* is often shared by several families. The structure and the layout of *Siheyuan* are not as reasonalbe and orderly as before. So *Siheyuan* now is called "dazayuanr", (courtyard of mixed families)

C

Beijing now has become a modernized city. There are more and more high buildings, and less and less Siheyuan. More pople begin to realize that the traditional house, especially Siheyuan is more humanized. They begin to cherish the memory of the traditional way of living.

现在，北京已发展成为一个现代化的大都市。高楼大厦越来越多，四合院越来越少。很多人开始意识到，四合院式的传统住宅更加亲切，更加人性化。人们非常怀念传统的四合院式的生活方式。

阅读后判断：
① 四合院有七百多年历史了。
② 四合院都变成了大杂院。

 文化拓展 General Knowledge of Chinese Culture

黄　鼠狼给鸡拜年 —— 没安好心
huáng shǔ láng gěi jī bàinián　　méi ān hǎo xīn

[the weasel goes to pay his respects to the hen, not with the best of intentions.]

学汉字 Word Formation

木
mù

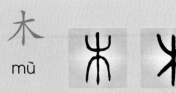

tree, timber, wood, 像一棵树的样子。
The character looks like the shape of a tree.

梯
tī

ladder, steps, stairs, "弟" 是这个字的声旁。
The "弟" is the sound element of the word.
梯子 tīzi, ladder, stepladder; 楼梯 lóutī, stairs; staircase。

果
guǒ

fruit, "田" 和 "木" 在一起表示树上面结了果子。
The "田" and "木" together represent a tree bearing fruit.
水果 shuǐguǒ, fruit; 苹果 píngguǒ, apple.

11

Have You Been to the Mount Tai?

第十一课　你去过泰山吗？
dì shí yī kè　nǐ qù guo Tàishān ma

目标 Objectives

✔ 了解中国的"五岳"和长江、黄河

Getting familiar with the Five Sacred Mountains and the Yangtze River and the Yellow River of China

✔ 学会介绍自己的旅行经历

Learn how to tell of traveling experiences

✔ 学会询问别人的旅游经历

Learn how to ask other people's travelling experiences

东岳　泰山
dōngyuè Tàishān
Mount Tai

西岳　华山
xīyuè Huàshān
Mount Hua

南岳　衡山
nányuè Héngshān
Mount Heng

北岳　恒山
běiyuè Héngshān
Mount Heng

中岳　　嵩山
zhōngyuè Sōngshān
Mount Song

黄河
Huánghé
Yellow River

第一部分

Part 1　生词与短语 Words & Phrases

好久不见　have not seen some
hǎojiǔ bù jiàn　body for a long time

爬泰山　climbing the Mount Tai
pá Tàishān

跟……一起　company with
gēn　yīqǐ

特别　special
tèbié

日出　sunrise
rìchū

照片　photograph
zhàopiàn

好玩　interesting, amused
hǎowán

关键句　Key Sentences

好久不见。
Hǎojiǔ bù jiàn.
I have not seen you for a long time

你是自己去的吗?
Nǐ shì zìjǐ qù de ma?
Did you go there alone?

我们在一起唱歌、聊天,好玩极了!
Wǒmen zài yīqǐ chànggē、liáotiān, hǎowán jí le!
We sang and chatted together. It was wonderful!

你是什么时候去的?
Nǐ shì shénme shíhou qù de?
When did you go?

这次旅行玩得怎么样?
Zhècì lǚxíng wán de zěnmeyàng?
How was your trip?

实景对话　Dialogue

(春节过后马克和刘老师第一次见面)
(Chūnjié guò hòu Mǎkè hé Liú lǎoshī dìyīcì jiànmiàn)

马克:　刘老师,好久不见。
Mǎkè:　Liú lǎoshī, hǎojiǔ bù jiàn.

刘老师: 好久 不见。你 最近 忙　什么 呢?
Liú lǎoshī: Hǎojiǔ bù jiàn. Nǐ zuìjìn máng shénme ne?

马克: 我 去爬 泰山 了。
Mǎkè: Wǒ qù pá Tàishān le.

刘老师: 你 是 什么　时候 去 的?
Liú lǎoshī: Nǐ shì shénme shíhou qù de?

马克: 我 是 上个　周末 去 的。
Mǎkè: Wǒ shì shànggè zhōumò qù de.

刘老师: 你 是 自己去 的 吗?
Liú lǎoshī: Nǐ shì zìjǐ qù de ma?

马克: 不是,我 跟　朋友　一起 去 的。
Mǎkè: Bùshì, wǒ gēn péngyou yīqǐ qù de.

刘老师: 这 次 旅行　玩得　怎么样?
Liú lǎoshī: Zhè cì lǚxíng wánde zěnmeyàng?

马克: 特别　棒! 我 看 泰山　日出 的 时候, 照 了 很多　照
Mǎkè: Tèbié bàng! Wǒ kàn Tàishān rìchū de shíhou, zhào le hěnduō zhào

片。我 还 认识了 很多　朋友,　我们 在 一起　唱歌、
piàn. Wǒ hái rènshi le hěnduō péngyou, wǒmen zài yīqǐ chànggē

聊天,　好玩 极 了!
liáotiān, hǎowán jí le!

　　Mark: Hello! Professor Liu, I have not seen you for a long time.
Teacher Liu: Hello! What are you busy with?
　　Mark: I went to climb the Mount Tai.
Teacher Liu: When did you go?
　　Mark: I went there last weekend.

Teacher Liu: Did you go there alone?

Mark: No. I went there with my friends.

Teacher Liu: How was your trip?

Mark: Wonderful, when I was watching the sunrise at the Mount Tai, I took a lot of photographs. I made many new friends. We drank and chatted together. It was wonderful!

活 动 Activities

 口语任务 Speaking Tasks

Step 1 看图说话 Look at the Illustrations and Speak

东岳　　泰山
dōngyuè Tàishān

美丽 的 日出
měilì de rìchū

给 我 拍 张　照片
gěi wǒ pāi zhāng zhàopiàn

我　去爬 泰山 了
wǒ qù pá Tàishān le

Step 2 连线搭配 Match

爬
pá

照
zhào

认识
rènshi

看
kàn

日出
rìchū

朋友
péngyou

相
xiāng

山
shān

Step 3 替换练习 Substitution

这次 …… 玩得 怎么样？ zhècì wánde zěnmeyàng?	这次 旅游 玩得 怎么样？ Zhècì lǚyóu wánde zěnmeyàng?
	聚会 jùhuì
	晚会 wǎnhuì
	春游 chūnyóu
	放假 fàngjià

是 …… 的 shì de	我 是 自己 去 的。 Wǒ shì zìjǐ qù de.
	他 和 朋友 一起 回家 tā hé péngyou yìqǐ huíjiā
	林华 周末 去 打球 Lín Huá zhōumò qù dǎqiú
	马克 去年 来 中国 Mǎkè qùnián lái Zhōngguó
	张梅 在 图书馆 认识 林华 Zhāng Méi zài túshūguǎn rènshi Lín Huá
	他们 去年 结婚 tāmen qùnián jiéhūn

听力任务 Listening Tasks

Step 1 先听一遍录音，然后选择正确答案。Listen and then make a choice.

这个周末，马克去了 ⬛⬛⬛⬛⬛⬛ 。

A. 天津   B. 天安门   C. 长城

林华最喜欢 _____。

A. 天安门和长城　　　　B. 颐和园和北海　　　　C. 王府井和故宫

Step 2 再听一至两遍录音，然后选择正确答案。Listen again and then make a choice.

下个周末，马克打算去 _____。

A. 王府井　　　　B. 天安门　　　　C. 长城

林华下周要 _____。

A. 和马克一起玩　　　　B. 去天津　　　　C. 学习

交际任务 Communication Tasks

Step 1 角色扮演 Role-Play

角 色 Role
马克和卡尔 Mark and Karl

任 务 Assignment
开学了，马克和卡尔在学校里见面了。他们互相询问了对方寒假的旅行经历。

The school term begins. Mark meets Carl in campus. They ask each other about their traveling experiences during the winter vacation.

Step 2 交际体验 Communication Practice

马克、卡尔和玛丽是三个加拿大留学生，今年暑假的时候，他们一起去了泰山。回来以后，他们把自己的旅行经历讲给了他们的语言伙伴李勇。

题目：我们去过泰山了！

Mark, Carl and Mary are students from Canada. This summer, they went to the Mount Tai. When they came back, they told their experiences to their language partner, Li Yong.

Topic: We went to the Mount Tai!

第二部分
Part 2

生词与短语 Words & Phrases

五岳 wǔyuè	the Five Sacred Mountains	五台山 Wǔtáishān	the Mount Wutai
嵩山 Sōngshān	the Mount Song	觉得 juéde	think
少林寺 Shàolínsì	the Shaolin Temple	应该 yīnggāi	should
除了……以外 chúle……yǐwài	besides, except	长江 Chángjiāng	the Yangtze River
山西 Shānxī	Shanxi	黄河 Huánghé	the Yellow River

关键句 Key Sentences

你 去过 泰山 吗？
Nǐ qùguo Tàishān ma?
Have you been to the Mount Tai?

除了 中岳 嵩山 以外，我 都 去过。
Chúle zhōngyuè Sōngshān yǐwài, wǒ dōu qùguo.
Except the Mount Song, the Central Mountain, I have been to other four sacred mountains.

除了 五岳 以外，我 还 去过 山西 的 五台山。
Chúle wǔyuè yǐwài, wǒ hái qùguo Shānxī de Wǔtáishān.
Besides the Five Sacred Mountains, I have also been to the Mount Wutai in Shanxi Province.

我 听说 长江 又 叫 扬子江，是 中国 最长 的 河。
Wǒ tīngshuō Chángjiāng yòu jiào Yángzǐjiāng, shì Zhōngguó zuìcháng de hé.
I have heard that the Changjiang River is also named Yangtze River which is the longest river in China.

(刘老师　和 马克 继续 谈话)

(Liú lǎoshī hé Mǎkè jìxù tánhuà)

马克：　刘老师，你去过 泰山 吗?

Mǎkè：　Liú lǎoshī, nǐ qù guò Tàishān ma?

刘老师：　当然 了。 中国 的五岳，除了 中岳　嵩山 以

Liú lǎoshī：　Dāngrán le. Zhōngguó de wǔyuè, chúle zhōngyuè Sōngshān yǐ

外，我 都去过。

wài, wǒ dōu qù guò.

马克：　听说　少林寺 在 嵩山　吧?

Mǎkè：　Tīngshuō Shàolínsì zài Sōngshān ba?

刘老师：　是啊，少林寺的 中国　功夫 很 有名。

Liú lǎoshī：　Shì a, Shàolínsì de Zhōngguó gōngfu hěn yǒumíng.

马克：　刘老师， 中国 的 名山　除了五岳 以外，你还去

Mǎkè：　Liú lǎoshī, Zhōngguó de míngshān chúle wǔyuè yǐwài, nǐ hái qù

过 哪里呢?

guò nǎlǐ ne?

刘老师：　除了五岳 以外，我还去过 山西 省 的五台山。

Liú lǎoshī：　Chúle wǔyuè yǐwài, wǒ hái qù guò Shānxī shěng de Wǔtáishān.

马克：　中国　好玩的地方 真多!

Mǎkè：　Zhōngguó hǎo wán de dìfang zhēn duō!

刘老师：　是啊，除了 名山 以外，我 觉得你还 应该 看看

Liú lǎoshī：　Shì a, chú le míngshān yǐwài, wǒ juéde nǐ hái yīnggāi kànkan

长江　和 黄河。

Chángjiāng hé Huánghé.

马克: 我 听说 长江 又叫 扬子江,是 中国 最
Mǎkè: Wǒ tīngshuō Chángjiāng yòu jiào Yángzǐjiāng, shì Zhōngguó zuì

长 的河,对 吗?
cháng de hé, duì ma?

刘老师: 对!
Liú lǎoshī: Duì!

马克: 不 过,黄河 为什么 叫 "黄河" 呢?
Mǎkè: Bú guò, Huánghé wèishénme jiào "huánghé" ne?

刘老师: 黄河 要 经过 黄土高原, 在 那里,大量 的
Liú lǎoshī: Huánghé yào jīngguò huángtǔgāoyuán, zài nàlǐ, dàliàng de

黄土 流入 河 中, 河水 的 颜色 变 成 了 黄色,
huángtǔ liúrù hé zhōng, héshuǐ de yánsè biàn chéng le huángsè,

所以 叫 黄河。她 是 中国 的 母亲河。
suǒyǐ jiào huánghé. Tā shì Zhōngguó de mǔqīn hé.

马克: 太 有意思了!有 机会 的 话,我 一定 去 看看!
Mǎkè: Tài yǒu yìsi le! Yǒu jīhuì de huà, wǒ yīdìng qù kànkan!

Mark: Professor Liu, have you been to the Mount Tai?
Teacher Liu: Of course, except the Mount Song, the Central Mountain, I have been to other four sacred mountains.
Mark: It is said that Shaolin Temple is located at the Mount Song.
Teacher Liu: Yes, the martial art of the Shaolin Temple is well-known.
Mark: Professor Liu, besides the Five Sacred Mountains, have you ever been to other mountains?
Teacher Liu: Yes, I have also been to the Mount Wutai in Shanxi Province.
Mark: There are so many interesting places in China!
Teacher Liu: Besides the famous mountains, you should also go to see the Yangtze River and the Yellow River.
Mark: I have heard that the Changjiang River is also named Yangtze River which is the longest river in China, isn't it?
Teacher Liu: Right!
Mark: But, why you name the Yellow River "yellow river"?
Teacher Liu: The Yellow River passes through the Loess Plateau. The soil erosion makes the water of the river turn yellow. This is why we call it Yellow River. It is our mother river.
Mark: It's interesting! If there is a chance, I will certainly go.

活 动 Activities

 口语任务 Speaking Tasks

Step 1 连线搭配 Match

山西 Shānxī	黄河 Huánghé	嵩山 Sōngshān	少林寺 Shǎolínsì

中岳 zhōngyuè　　　五台山 Wǔtáishān　　　中国 功夫 Zhōngguó gōngfu　　　母亲 河 mǔqīn hé

Step 2 选词填空 Fill in the Blanks

爬	觉得
应该	著名
特别	

◆马克　　　　汉语有点儿难。
◆他喜欢　　　　楼梯。
◆李白是中国　　　　的诗人。
◆妈妈来中国看我了，我　　　　高兴。
◆我们　　　　多锻炼身体。

Step 3 替换练习 Substitution

除了……以外，我还…… chú le yǐwài, wǒ hái	除了 五岳 以外，我 还 去过 山西省 的 五台山。 Chú le Wǔyuè yǐwài, wǒ hái qùguo Shānxīshěng de wǔtáishān.	
	北京 Běijīng	去过 qùguo	天津 Tiānjīn
	山东 菜 Shāndōng cài	吃过 chīguo	浙江 菜 Zhèjiāng cài
	日语 rìyǔ	学过 xuéguo	韩语 Hányǔ
	美洲 Měizhōu	到过 dàoguo	非洲 Fēizhōu

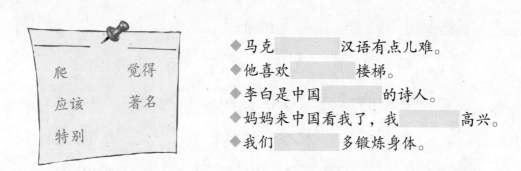

v. + 过 guo	你去过 泰山 吗? Nǐ qù guo Tàishān ma?
	吃 粽子 chī zōngzi
	学 英语 xué yīngyǔ
	来 中国 lái Zhōngguó
	听 京剧 tīng jīngjù
	跳 舞 tiào wǔ

除了……以外，我都…… chúle yǐwài, wǒdōu	除了 中 岳 嵩山 以外，五岳 我 都 去过了。 Chú le zhōng yuè sōngshān yǐ wài, wǔyuè wǒ dōu qù guo le
	长城 Chángchéng 北京的景点 Běijīng de jǐngdiǎn 玩过 wánguo
	粤菜 Yuècài 八大菜系 bā dà cài xì 吃过 chī guo
	法国 Fǎguó 欧洲 Ōuzhōu 玩遍 wánbiàn

 听力任务 Listening Tasks

Step 1 ▶ 先听一遍录音，然后选择正确答案。Listen and then make a choice.

马克"十一"的时候计划 ▭▭▭▭。

A. 回国   B. 在中国旅行   C. 去其他国家旅行

马克 ▭▭▭▭ 吃包子。

A. 喜欢   B. 不喜欢   C. 没吃过

Step 2 再听一至两遍录音，然后选择正确答案。Listen again and then make a choice.

"十一"的时候 ＿＿＿＿＿＿＿＿＿＿ 要去天津。

A. 马克   B. 林华的妹妹   C. 林华、林华的妹妹和马克

马克 ＿＿＿＿＿＿＿＿＿＿ 天津。

A. 去过   B. 没去过   C. 现在正准备去

 交际任务 Communication Tasks

Step 1 角色扮演 Role-Play

> 角 色 Role
>
> 两个朋友
>
> Two friends
>
> 任 务 Assignment
>
> 互相询问对方听说过中国哪些地方比较好玩，已经去过中国哪些地方旅行，以后有什么旅行计划。
>
> Ask each other about the interesting places to travel in China. Tell each other where you have been and your traveling plan.

Step 2 交际体验 Communication Practice

把 交际任务1中，你的伙伴告诉你的情况介绍给全班同学。

Tell the whole class what you have learned from your partner.

文化窗口 Culture Window

中国的名山大川

壶口瀑布位于山西省吉县，是黄河上的一个奇观。瀑布的两面是高高的山崖，黄河的水流在这里变得特别急，像发怒的野马一样。春天和秋天的时候，这里的黄河水会变得比较清澈，在阳光下，非常好看。

五台山是中国的四大佛教名山之一。山上有48座寺庙①和几百名和尚②、尼姑③。因为五台山很高，夏天的时候很凉快。所以，人们喜欢夏天去那里。五台山的水好喝，蘑菇④也特别好吃。

长江的水量很大，在世界上排名第三。长江上有著名的风景长江三峡和巫山小三峡。你可以坐船在长江上游玩。在船上你能够一边看两岸的高山，一边听长江流水的声音。

注 释
①temple, monastery; ②Buddhist monk; ③nun; ④mushroom

A Hukou waterfall is located in the Ji county of Shanxi Province. It is a marvelous spectacle of the Yellow River. The two sides of the waterfall are cliffs. At this spot the water of the Yellow River becomes turbulent, like a runaway horse. During the spring and autumn seasons, the water becomes clear. It is very beautiful under the sunlight.

B The Mount Wutai is one of the four famous mountains of Buddhism. There are 48 temples and several hundreds of monks and nuns. The Mount Wutai is very high. It is cool during the summer season. Many people like to visit there at summer time. The water and the mushroom of the Mount Wutai are also famous.

C The flow of Yangtze River is great. It is the third biggest river in the world. The great sceneries of Yangtze River include the Three Gorges and the Three Small Gorges of the Wu Mountain. You can visit Yangtze River by ship, on which you can enjoy the beauty of the mountains and the river.

D The Mount Lao is located in Qingdao. It is very famous as a mountain rising majestically from the sea. There are many Taoists even now. It is beautiful in four seasons. There people can climb the mountain, as well as see the sea.

崂山在中国的青岛。它是一座在海边的中国名山。现在山上还有道士。崂山的春夏秋冬都非常美丽。在崂山，你除了可以爬山以外，还可以看到大海。

阅读后判断：

① 五台山是一座佛教的名山。

② 崂山现在还有道士。

③ 黄河的水量在世界上排名第三。

④ 去长江旅行的最好方式是坐船。

文化拓展 General Knowledge of Chinese Culture

狗 拿 耗 子 —— 多 管 闲 事
gǒu ná hàozi   duō guǎn xián shì

[a dog trying to catch mice; poke one's nose into other people's business.]

学汉字 Word Formation

水
shuǐ
water, 像流水的样子。
The character looks like the flowing of the water.

河
hé
river, "可"是这个字的声旁。
The "可" is the sound element of the word.
江河 jiānghé, river; 河水 héshuǐ, water of river.

汗
hàn
sweat, perspiration, "干"是这个字的声旁。
The "干" is the sound element of the word.
汗水 hànshuǐ, sweat; 流汗 liúhàn, to sweat.

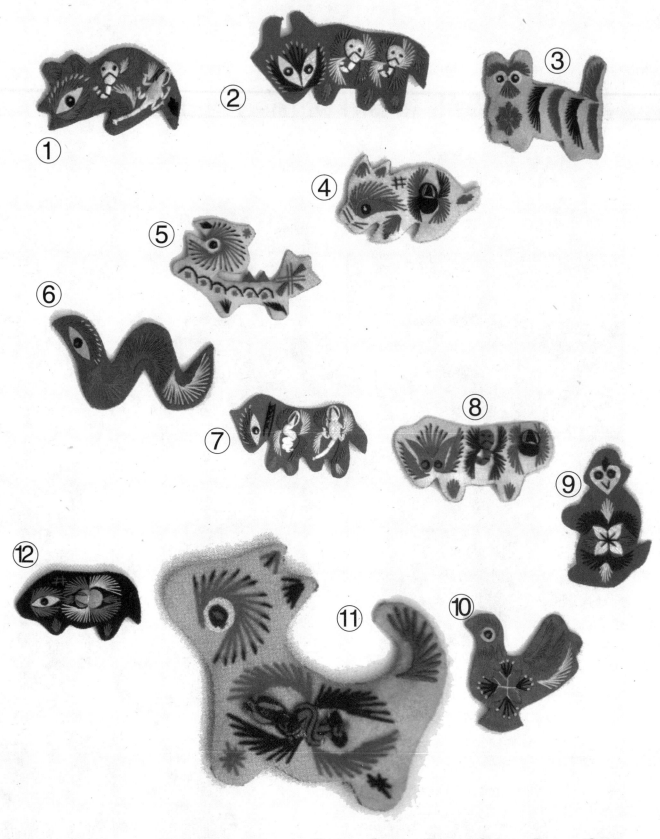

①鼠 ②牛 ③虎 ④兔 ⑤龙 ⑥蛇
⑦马 ⑧羊 ⑨猴 ⑩鸡 ⑪狗 ⑫猪

She Is a Girl of the Dai Nationality

第十二课 她 是 傣族 人
dì shí èr kè tā shì Dǎizú rén

目标 Objectives

✓ 了解中国的主要民族

Getting familiar with some of the minorities of China

✓ 学会关于服饰的表述

Learn the common phrases of costumes

壮族
Zhuàngzú
the Zhuang

藏族
Zàngzú
the Tibetan

汉族
Hànzú
the Han

傣族
Dǎizú
the Dai

满族
Mǎnzú
the Man

第一部分

Part 1　生词与短语　Words & Phrases

穿戴 chuāndài	apparel, dress		领子 lǐngzi	collar
傣族服饰 Dǎizú fúshì	costume of the Dai nationality		肥 féi	loose, fat
少数民族 shǎoshùmínzú	minority		帽子 màozi	cap
小伙 xiǎohuǒ	chap, fellow		包 bāo	cover
上衣 shàngyī	upper outer gar- ment		总是 zǒngshì	always
袖子 xiùzi	sleeve		包头 bāotou	head cloth
窄 zhǎi	narrow		白布 báibù	white cloth
裙子 qúnzi	skirt		青布 qīngbù	black cloth

关键句　Key Sentences

她 穿戴 的 是 傣族 的 传统 服饰。
Tā chuāndài de shì Dǎizú de chuántǒng fúshì.
She is wearing traditional Dai costume.

傣族 是 中国 的 少数 民族。
Dǎizú shì Zhōngguó de shǎoshù mínzú.
The Dai is one of the minorities of China.

上衣 短，袖子 窄；下面 的 长裙 叫 "筒裙"。
Shàngyī duǎn, xiùzi zhǎi; xiàmian de chángqún jiào "tǒngqún".
Short upper outer garment, narrow sleeves, the long skirt is called tube-shaped skirt.

他们 的 上衣 又 短 又 窄。
Tāmen de shàngyī yòu duǎn yòu zhǎi.
Their upper outer garments are short and tight.

头上 总是 包着 包头。
Tóushang zǒngshì bāozhe bāotou.
They wear headcloth all the time.

实景对话 Dialogue

(马克 和 林华 在 云南省 西双版纳 旅行)
(Mǎkè hé Lín Huá zài Yúnnánshěng Xīshuāngbǎnnà lǚxíng)

马克: 这个 姑娘 穿 的衣服真 漂亮!
Mǎkè: Zhège gūniang chuān de yīfu zhēn piàoliang!

林华: 她是傣族人。她 穿戴 的 是傣族的 传统 服饰。
Lín Huá: Tā shì Dǎizú rén. Tā chuāndài de shì Dǎizú de chuántǒng fúshì.

马克: 傣族是 中国 的 少数 民族 吗?
Mǎkè: Dǎizú shì Zhōngguó de shǎoshù mínzú ma?

林华: 是 的。傣族 姑娘 服饰很 有 特点: 上衣 短, 袖子
Lín Huá: Shì de. Dǎizú gūniáng fúshì hěn yǒu tèdiǎn: shàngyī duǎn, xiù zi

窄; 下面 的 长裙 叫 "筒裙"。
zhǎi; xiàmian de chángqún jiào "tǒngqún".

马克: 那么傣族的 小伙子 呢?
Mǎkè: Nàme Dǎizú de xiǎohuǒzi ne?

林华: 他们 的 上衣 也又 短 又 窄, 还 没有 领子; 裤子
Lín Huá: Tāmen de shàngyī yě yòu duǎn yòu zhǎi, hái méiyǒu lǐng zi; kùzi

挺 肥 的; 头上 不戴 帽子, 但是 总是 包着 包头。
tǐng féi de; tóushang búdài màozi, dànshì zǒngshì bāozhe bāotou.

马克：包头 是 什么？

Mǎkè：Bāotou shì shénme?

林华：就是 很长 的白布 或者 青布 包 在 头上。

Lín Huā：Jiùshì hěncháng de báibù huòzhě qīngbù bāo zài tóushang.

马克：我 也想 试试。

Mǎkè：Wǒ yě xiǎng shìshi.

Mark: This girl's cloth is beautiful.

Lin Hua: She is a girl of the Dai nationality. What she is wearing is the traditional Dai costume.

Mark: Is the Dai one of the minorities of China?

Lin Hua: Yes. The main characters of the Dai costumes are short upper outer garment, and narrow sleeves. The long skirt is called tube-shaped skirt

Mark: What does the clothes of the chap of the Dai look like?

Lin Hua: Their upper outer garments are also short and tight, and have no collar. Their trousers are loose.They do not wear cap, but they wear headcloth all the time.

Mark: What is headcloth?

Lin Hua: It is a piece of long white or black cloth.

Mark: I like to try it on.

活 动 Activities

口语任务 Speaking Tasks

Step 1 看图说话 Look at the Illustrations and Speak

他们 是 傣族人
tāmen shì Dǎizú rén

裙子是 筒 裙
qúnzi shì tǒng qún

上衣　又　短　又　窄，还　没有　领子
shàngyī yòu duǎn yòu zhǎi, hái méiyǒu lǐngzi

裤子　挺　肥　的，　头上　包着　包头
kùzi tǐng féi de, tóushang bāozhe bāotou

Step 2 连线搭配 Match

戴
dài

穿
chuān

穿戴
chuāndài

包
bāo

裙子
qúnzi

包头
bāotou

帽子
màozi

服饰
fúshì

Step 3 替换练习 Substitution

她穿的是……
tā chuān de shì

她穿的是傣族的　传统　服饰。
Tā chuān de shì dǎizú de chuántǒng fúshì.

连衣裙
liányīqún

套裙
tàoqún

旗袍
qípáo

运动服
yùndòng fú

休闲装
xiūxián zhuāng

······ 总是 ······ zǒngshì	傣族 的 小伙子 头上 总是 包着 包头。 Dǎizú de xiǎohuǒzi tóushang zǒngshì bāozhe bāotou.
张 梅 手 上 Zhāng Méi shǒu shàng	戴着 戒指 dàizhe jièzhi
马克 头 上 Mǎkè tóu shàng	戴着 帽子 dàizhe màozi
卡尔 嘴 里 Kǎěr zuǐ lǐ	嚼着 口香糖 jiáozhe kǒuxiāngtáng
林 华 脚 上 Lín Huā jiǎo shàng	穿着 运动鞋 chuānzhe yùndòngxié

听力任务 Listening Tasks

Step 1 先听一遍录音，然后选择正确答案。Listen and then make a choice.

玛丽穿着 ▇▇▇▇▇ 。
A. 旗袍   B. 运动服   C. 西服

玛丽的旗袍是 ▇▇▇▇▇ 的。
A. 红色   B. 黑色   C. 白色

Step 2 再听一至两遍录音，然后选择正确答案。Listen again and then make a choice.

玛丽来中国以后没有买过 ▇▇▇▇▇ 。
A. 旗袍   B. 运动服   C. 套裙

马克 ▇▇▇▇▇ 中国衣服 。
A. 喜欢   B. 不太喜欢   C. 很不喜欢

交际任务 Communication Tasks

Step 1 ▶ 角色扮演 Role-Play

角　色 Role

你们两人去云南西双版纳旅行，见到了傣族(或其他少数民族)的姑娘和小伙子。

Pretending that two of you went to Xishuangbanna, you saw girls and boys of the Dai (or other minorities).

任　务 Assignment

谈论对他们服饰的印象。

Discuss their costumes.

Step 2 ▶ 交际体验 Communication Practice

老师可以鼓励班上的每一个同学谈谈他们对少数民族的印象和看法，可以谈论自己国家的少数民族的情况。

Encourage students to talk about their impressions and opinions about minority people, or minorities of their own country.

第二部分

Part 2

生词与短语 Words & Phrases

首饰 shǒushi	ornaments		藏袍 zàngpáo	Tibet gown
店 diàn	store, shop		长靴 chángxuē	boot
老板 lǎobǎn	boss		系 jì	tie
藏族 Zàngzú	Tibetan		腰带 yāodài	waist belt
壮族 Zhuǎngzú	the Zhuang		绣花 xiùhuā	embroider
戴 dài	wear		银 yín	silver
呢帽 nímào	soft felt hat		收获 shōuhuò	harvest, gains

关键句 Key Sentences

他们　一般　都　穿　　长靴，系腰带。
Tāmen yībān dōu chuān chángxuē, jì yāodài.
Generally, they like to wear boots and waist belt.

"藏"　和　"壮"　的　发音　差不多。
"Zàng" hé "zhuàng" de fāyīn chàbuduō.
There is no big difference between the pronunciation of the word "Zang" and "Zhuang".

很多　　壮族人　都　喜欢　戴　非常　　漂亮　的　银　首饰。
Hěnduō Zhuǎngzúrén dōu xǐhuan dài fēicháng piàoliang de yín shǒu shi.
Most of the Zhuang like to wear beautiful silver ornaments.

实景对话 Dialogue

(在　旅馆)
(Zài lǚguǎn)

林华：　今天　去了这么　多　地方，你一定　很累吧？

Lín Huá:　Jīntiān qù le zhème duō dìfang, nǐ yīdìng hěn lēi ba?

马克：　有点　累，可是　风景　很美，　少数　民族的服饰也

Mǎkè:　Yǒudiǎn lēi,　kěshì fēngjǐng hěn měi, shǎoshù mínzú de fúshì yě

很　　漂亮。

hěn piàoliang.

林华：　是啊，中国　有　56　个民族，每个　民族　都　有自己

Lín Huá:　Shì a, Zhōngguó yǒu wǔshíliù gè mínzú, měigè mínzú dōu yǒu zìjǐ

的　　传统　服饰。

de chuántǒng fúshì.

马克：　我　想起来了，中午　那个　首饰店　的老板　是……

Mǎkè:　Wǒ xiǎngqǐlái le, zhōngwǔ nàge shǒushidiàn de lǎobǎn shì......

林华：　他是　藏族人。

Lín Huá:　Tā shì Zàngzú rén.

马克：　壮族　　人？

Mǎkè:　Zhuàngzú rén?

林华：　你　说　错了！他是　藏族人。

Lín Huá:　Nǐ shuō cuò le! Tā shì Zàngzú rén.

马克：　哦，"藏"和"壮"　读音　差不多。

Mǎkè:　Ó, zàng　hé zhuàng dúyīn chàbuduō.

林华：　可是　他们　的服饰很　不一样。藏族　男人　和女人　都

Lín Huá:　Kěshì tāmen de fúshì hěn bùyīyàng. Zàngzú nánrén hé nǚrén dōu

戴　呢帽，他们　穿　的衣服叫"藏袍"　他们　一般

dài ní mào, tāmen chuān de yīfu jiào "zàng páo". Tāmen yībān

都 穿 长靴，系腰带。

dōu chuān chángxuē, jì yāodài.

马克： 那么 壮族 呢？

Mǎkè: Nàme Zhuàngzú ne?

林华： 在 中国， 壮族 是 人口 最多 的 少数 民族。很

Lín Huá: Zài Zhōngguó, Zhuàngzú shì rénkǒu zuìduō de shǎoshù mínzú. Hěn

多 壮族 人都 穿 绣花的 上衣 和肥大的 裤子，

duō Zhuàngzú rén dōu chuān xiùhuā de shàngyī hé féidà de kùzi,

喜欢 戴 非常 漂亮 的 银 首饰。

xǐhuan dài fēicháng piāoliang de yín shǒushi.

马克： 今天 我 照了很多 少数 民族 的 照片， 收获

Mǎkè: Jīntiān wǒ zhào le hěnduō shǎoshù mínzú de zhàopiàn, shōuhuò

真 大!

zhēn dà!

Lin Hua: You have been to many places today, and you must be tired.

Mark: I am a little tired. But the scenery is beautiful. The costumes and ornaments of the minorities are pretty.

Lin Hua: We have 56 minorities. Each minority has its own traditional costume.

Mark: I remember, what's the nationality of the boss of the ornaments store...

Lin Hua: He is a Tibetan (Zang).

Mark: You mean the "Zhuang" nationality?

Lin Hua: No, you are wrong! He is a Tibetan.

Mark: There sounds little difference between the pronunciation of the word "Zang" and "Zhuang".

Lin Hua: Their costumes are different. Tibetans like to wear woolen cap. The gown they wear is called Tibetan gown. They wear boot and waist belt.

Mark: What about people of the Zhuang?

Lin Hua: In China, the Zhuang minority is the minority that has the largest population. The Zhuang people like to wear embroidered upper outer garment and loose trousers.

Mark: Today, I took many photographs of the minorities. I have learned a lot!

活 动 Activities

口语任务 Speaking Tasks

Step 1 连线搭配 Match（答案不是唯一的）

帽子	靴子	首饰	围巾	皮带	手表	腰带
màozi	xuēzi	shǒushi	wéijīn	pídài	shǒubiǎo	yāodài

系
jì

戴
dài

穿
chuān

Step 2 选词填空 Fill in the Blanks

◆ 马克 ＿＿＿＿ 第一个到教室。

◆ 她 ＿＿＿＿ 旗袍非常好看。

◆ 来中国半年了，大家觉得学习上
＿＿＿＿ 很大。

◆ 卡尔经常 ＿＿＿＿ 一顶帽子。

◆ 周末的时候，我和朋友一起去爬山，
到山顶的时候，我们都 ＿＿＿＿ 极了。

总是　　穿

累　　收获

戴

Step 3 替换练习 Substitution

……和……差不多		"藏"和"壮"的发音差不多。		
hé chàbuduō		"Zàng" hé "zhuàng" de fāyīn chàbuduō.		
卡尔	马克	衣服		
Kǎěr	Mǎkè	yīfu		
姐姐	妹妹	个子		
jiějie	mèimei	gèzi		
林华	女朋友	年龄		
Lín Huá	nǚpéngyou	niánlíng		
上衣	裤子	颜色		
shàngyī	kùzi	yánsè		

这次 考试　　上次　考试　　成绩
zhè cì kǎoshì　　shàng cì kǎoshì　　chéngjì

一般 都……
yībān dōu

藏族人　一般 都 穿　长靴，系 腰带。
Zāngzú rén yībān dōu chuān cháng xuē, jì yāodài.

小学生
xiǎoxuéshēng

校服　　红领巾
xiàofú　　hónglǐngjīn

公司　职员
gōngsī zhíyuán

西装　　领带
xīzhuāng　lǐngdài

我 姐姐
wǒ jiějie

风衣　　丝巾
fēngyī　　sījīn

每 个 民族 都 有 自己的……
měi gè mínzú dōu yǒu zìjǐ de

每 个 民族 都 有 自己的 传统 服饰。
Měi gè mínzú dōu yǒu zìjǐ de chuántǒng fúshì.

生活　　方式
shēnghuó fāngshì

信仰
xìnyǎng

饮食 习俗
yǐnshí xísú

今天 有 点 累，可是……
jīntiān yǒu diǎn lèi, kě shì

今天 有 点 累，可是 看 到 的 风景 很 美。
Jīntiān yǒu diǎn lèi, kě shì kàn dào de fēngjǐng hěn měi.

收获　很 大
shōuhuò hěn dà

买 了 很 多 好 书
mǎi le hěn duō hǎo shū

认识 了 很 多　朋友
rènshi le hěn duō péngyǒu

我们　玩 得 很 高兴
wǒmen wán de hěn gāoxìng

听力任务 Listening Tasks

Step 1 听一遍录音，然后选择正确答案。Listen and then make a choice.

马克和 　　　　　　　 一起去商场。
A.林华　　　　　　　　B.林丽　　　　　　　　C.林华、林丽

马克想买 　　　　　　 。
A.藏袍　　　　　　　　B.西服　　　　　　　　C.领带

Step 2 再听一至两遍录音，然后选择。Listen again and then make a choice.

马克买旗袍是要送给 　　　　　　　 。
A.女朋友　　　　　　　B.妈妈　　　　　　　　C.姐姐

今天马克可以买到 　　　　　　 。
A.白色唐装　　　　　　B.领带　　　　　　　　C.藏袍

交际任务 Communication Tasks

Step 1 角色扮演 Role-Play

角 色 Role
全班分组
group discussion

任 务 Assignment
互相询问小组成员是哪个民族的，或者喜欢哪个民族。
Ask each other their nationality and discuss which minority they like the most.

Step 2 交际体验 Communication Practice

把 交际任务1中你们小组的情况介绍给全班同学。

Tell the whole class what you have discussed in your group.

 文化窗口 Culture Window

中国的民族
China's nationality

A China is a nation of multinationalities. We have 56 nationalities. Except the Han nationality which has the largest population, other 55 nationalities are called minorities. According to the statistics of 1990, among the 55 minorities, the Zhuang has the largest population which is 15,000,000. The Lopa has the smallest population which is 2,000. The minorities are distributed mainly over Inner Mogolia, Xinjiang, Ningxia, Guangxi, Tibet, Yunnan, Guizhou, Qinghai provinces and autonomous regions. Among them, the Yunnan Province has 25 minorities.

中国是一个统一的多民族国家，共有56个民族。由于汉族以外的民族人口较少，习惯上被称为"少数民族"。

根据1990年的调查，在55个少数民族中，人口最多的是壮族，有1500万余人，人口最少的是珞巴族，只有2000人。

中国的少数民族主要分布在内蒙古、新疆、宁夏、广西、西藏、云南、贵州、青海省以及自治区等，其中民族分布最多的是云南省，有25个民族。

B Originaly, Qipao is the costume of the Man minority. Because the Man minority is also called Qi, so the costume is named Qipao. In the beginning, people including male and female all wore Qipao. However, the shape of the Qipao was a little different at that time. Later, males do not wear Qipao anymore. The shape of women's Qipao has changed from a loosing style to a close-fitting style. Later Qipao becomes the traditional costume of Chinese women.

旗袍原来是中国的少数民族满族的服装。因为满族人又叫旗人，所以这种衣服又叫旗袍。

最初，满族的男女都穿旗袍，但是样式有点儿不一样。后来，男的慢慢地不穿了。满族女人的旗袍也发生了变化。

满族女人的旗袍本来是宽腰、很肥的样子，后来变成紧腰、合身的样子。变化了的旗袍成了中国女人传统的服装。

现在流通的人民币上有五个民族的文字，除了汉字以外，还有蒙古族的文字、藏族的文字、维吾尔族的文字和壮族的文字。

C There are five different kinds of characters on Chinese money. Besides the Chinese character, there are also characters of the Inner Mongolia, Tibetan, Uygur and Zhuang minorities.

D The Naxi people live in Lijiang, Yunnan. It is a beautiful and quiet place with green hills and clear waters. Many people like Lijiang. Many foreigners even settle down there.

纳西族主要住在云南的丽江。那里山清水秀，很安静，而且，还有丽江古城和纳西族文字。许多人特别喜欢丽江。现在，也有一些外国人在丽江定居。

阅读后判断：

① 中国有 56 个少数民族。
② 旗袍原来是汉族的服装。
③ 壮族是中国人口最多的民族。
④ 纳西族居住在丽江。

文化拓展 General Knowledge of Chinese Culture

人 怕 出 名， 猪 怕 壮
rén pà chūmíng, zhū pà zhuàng

[fame portends trouble for men as fattening does for pigs.]

学汉字 Word Formation

贝
bèi

(hard) shell, cowry, cowrie used as money, 像贝壳的样子。
The character looks like the shape of a shell.

财
cái

general term for money and property, "才"是这个字的声旁。
The "才" is the sound element of the word.
财宝 cáibǎo, money and valuables; 发财 fācái, obtain great deal of money or wealth.

货
huò

goods, "化"是这个字的声旁。
The "化" is the sound element of the word.
百货 bǎihuò, general merchandise; 货物 huòwù, goods, commodity.

附录一

录音文本
Scripts

第一课

第一部分

马 克：中国春节为什么这么热闹呀？

刘老师：春节是一年中最重要的节日，当然很热闹。

马 克：过春节工作的人都要回家吗？

刘老师：一般都要回家。

马 克：除了这些，还有别的吗？

刘老师：还有就是拜年，小孩子还可以从大人那儿得到压岁钱。

马 克：看来春节确实很热闹。

第二部分

刘老师：马克，听说你今年在林华家过的春节？

马 克：是呀。我和玛丽一起去的。

刘老师：你们是怎么过的呢？

马 克：我和林华在墙上贴了春联，在大门上贴了"福"字。玛丽和林华的妈妈在厨房包饺子。

刘老师：后来呢？

马 克：晚上我们和林华全家人一起吃了年夜饭和饺子，然后在院子里放鞭炮和烟花。

刘老师：你们玩得很开心吧？

马 克：是呀，中国春节真热闹！

第二课

第一部分

服务员：欢迎光临！请问您吃点儿什么？

马 克：你们有什么热菜？

服务员：我们这里的麻婆豆腐和辣子鸡不错。

马 克：好，来个麻婆豆腐和一碗米饭。

服务员：您要什么汤？

马 克：酸辣汤

服务员：要饮料吗？

马 克：一瓶可乐吧。

服务员：好的，马上就来，请您稍等。

第二部分

马 克：林华，今天我请客。你想吃什么菜？听说你喜欢吃广东菜。

林 华：是嘛，马克。好啊！广东菜还可以，就是有点儿甜，我更喜欢四川菜。

马 克：四川菜好吃是好吃，不过有点儿辣。

林 华：那你最喜欢什么菜？

马 克：我最喜欢山东菜。

林 华：好，那我们去吃山东菜吧。

马 克：我们骑车去吧。

林 华：不远，走路去就行。

第三课

第一部分

林 华：马克，出去啊？这位是……

马 克：他是我朋友。叫约翰，他姓伊万，是美国人。

林 华：啊，你好，约翰。我是林华，认识你很高兴。

约 翰：我也很高兴。

林 华：你来这里学习还是工作？

约 翰：我来这里学习汉语。然后，明年我想在这里找个工作。

林 华：是吗？太好了！明年这个时候你的汉语一定会很好。

约 翰：谢谢。请你多帮助。

林华：没问题。

马克：我们去图书馆。再见，林华。

林华：再见

第二部分

林华：马克，你做什么呢？

马克：我正看书呢。我明天有考试。

林华：是吗？来，认识一下儿，这是我的好朋友小马，他姓马，叫马洪。

马克：我叫马克。嗨，我也姓马呀，我们是一家人哪。你是我弟弟。

林华：什么呀？你的名字叫马克，你的姓跟他的姓不一样。

马克：我知道，知道。开个玩笑。

林华：你的汉语越来越好了。

马克：我已经来了一年了，还不是很好。

林华：马克，咱们出去打篮球吧。

马克：可是，我明天还有考试呢。

林华：休息一下！去打一会儿球，回来我和马洪帮你复习，好吗？

马克：那好吧。走吧！

第四课

第一部分

玛丽：你好，李萍！你刚回来？

李萍：你好。玛丽。对，我刚回来。今天我太累了。

玛丽：怎么了？

李萍：我去参加了一个朋友的婚礼。今天我很早就试衣服。从中午十二点一直到现在。

玛丽：哦，现在都11点了。玩得好吗？

李萍：好极了。我们吃啊，聊啊，唱啊，特别高兴。还认识了很多朋友。

玛丽：新娘漂亮吗？

李萍：是啊。新娘是我们班最漂亮的女孩。

玛丽：新郎呢？很帅吗？

李萍：他也很帅。告诉你，他是我大学同学。

第二部分

马克：小林，听说你要结婚了，是吗？

小林：是的，马克。我今年七月份毕业，然后打算十一结婚。

马克：一毕业就结婚？你准备好了吗？

小林：对，我想我已经准备好了。我女朋友也很高兴。我们认识快五年了。

马克：时间是不短了！

小林：是，但我们不常在一起。她是我的中学同学，现在在我老家工作。

马克：那你在大学里就没有父新的女朋友吗？

小林：没有。我很爱我的女朋友，她也很爱我。

马克：那你毕业后也不打算留在大城市吗？

小林：是的，我的老家虽然是个小城市，但我们可以生活得很幸福。

马克：真浪漫！祝你们幸福！

小林：谢谢。

第五课

第一部分

妈妈：林华，我们今天去超市买点东西吧。

林华：好啊。买什么？

妈妈：我们要买两瓶啤酒、一箱牛奶和几斤猪肉。

林华：要不要买茅台酒？

妈妈：那不用买。我们家又没有人喝白酒。

林华：还有吗？

妈妈：还得买几斤苹果和一些蔬菜。

第二部分

张梅：林华，这个周末你准备怎么过？

林华：我要到我姑姑家去玩。

张梅：你每个周末都去吗？

林华：那倒不是。有时候去我伯父家玩。

张梅：也去叔叔家玩吗？

林华：我没有叔叔。

张梅：你还去别的亲戚家吗？

林华：有时候也去我舅舅家。

张梅：那你姨家呢？

林华：我妈妈没有姐妹。

第六课

第一部分

马克：林华，昨天张梅过生日。你送了什么礼物？

林华：我买了一个大蛋糕送给她。

马克：中国人过生日一般不能送什么呢？

林华：一般不能送钟，特别不能送给老人。

马克：好朋友分别的时候不能送什么呢？

林华：一般不送伞。

马克：听说过生日一般也不送刀，对吗？

林华：对。

第二部分

马克：林华，中国人在称谓上有禁忌吗？

林华：当然有哇。比如晚辈不能叫长辈的名字，更不能叫长辈的小名。

马克：中国人取名时有什么特别要注意的吗？

林华：在给孩子起名字的时候，不能与长辈的名字相同，读音相同或相近的也不行。

马克：同辈之间呢？

林华：也不是完全没有。过去，同辈人之间不能直接称呼对方的名字，现在好多了，大家都可以互相叫对方的名字。

第七课

第一部分

马克：林华，我们昨天看京剧演出了。

林华：在哪儿看的啊？

马克：在首都剧场看的。

林华：马克，你是第一次看京剧吧？

马克：对。我觉得京剧很好看。你喜欢看京剧吗？

林华：不是特别喜欢，京剧节奏太慢。我喜欢看相声表演。

马克：是吗？为什么呢？

林华：相声很幽默。

第二部分

马克：张梅，你是哪里人啊？

张梅：我是陕西人。

马克：你是陕西人啊？听说陕西流行秦腔。你会唱秦腔吗？

张梅：我会唱一点点儿。

马克：太好了，这个元旦晚会你唱一段秦腔吧。我们很想听听。

张梅：行啊。不过我唱得不太好。

马克：你就别谦虚了。你男朋友是不是也是陕西人？

张梅：不是，他是东北人？

马克：他会唱秦腔吗？

张梅：不会，他会唱二人转。

第八课

第一部分

马克：张梅，你拿的什么啊？

张梅：我拿的本子。

马克：这个本子有点特别。

张梅：对，这是专门用来练习书法的本子。

马克：你练习楷书还是行书？

张梅：我练习行书。倒不是因为行书书写速度快，主要是觉得行书更有灵气。

马克：你每天都练习书法吗？

张梅：不是，一个星期练两次，特别忙的时候就不练了。

马克：现在都用电脑了，你为什么还练习书法？

张梅：练习书法不仅是练字，还对健康有好处呢。

第二部分

张梅：马克，明天在东方艺术楼有画展。你想不想去看一看？

马克：是哪个画家的画展啊？

张梅：是范曾的画展。

马克：他喜欢画人物、山水，还是花鸟？

张梅：范先生最擅长画人物。

马克：听说他的画很值钱。

张梅：是啊，范曾是最早进入世界两大拍卖行的中国画家。

马克：他的画很特别吗？

张梅：是的，他喜欢画和中国古代文化有关的题材。他画了很多历史人物，栩栩如生。他的画作气势宏大，风格雄健。

马克：我对中国古代文化感兴趣。那我要去看看。

张梅：那好，明天早上8点咱们在东方艺术楼前见面。

马克：好的，明天早上8点见。

第九课

第一部分

马克：林华，你学过唐诗吗？

林华：当然学过。

马克：　你什么时候开始学唐诗的?

林华：　上小学之前就学过。

马克：　那时候会背诵吗?

林华：　会背一些。怎么,马克,你也喜欢唐诗吗?

马克：　我很喜欢,也能很快背会,可是常常不能完全理解诗的意思。

林华：　我也一样。不过,只要认真学,慢慢就能明白。

马克：　你能带我去买一本用来学古文的字典吗?

林华：　没问题,现在咱们就去。

第二部分

马克：　林华,唐诗很美吗?

林华：　那当然,唐诗是中国古代诗歌发展过程中的最高峰。

马克：　唐诗每首诗有几句,每句有几个字呢?

林华：　每首诗一般多为4句,也有8句或更长的。每句的字数有5个字的,也有7个字的。

马克：　唐诗押韵有什么要求吗?

林华：　有,一般要求第2、4和6句押韵,而第1、3或5句则不限制。

马克：　唐代最出名的诗人是谁?

林华：　唐代最著名的三个诗人是李白、杜甫和白居易。

第十课

第一部分

玛丽：　小方,我明天要去参观一下北京的四合院。你去吗?

小方：　玛丽,你以前没看过四合院吗?

玛丽：　是的,我没看过。上个月,我的几个朋友去了,我正好有事,所以没去。我想明天去。

小方：　真的应该去看看,它很特别。

玛丽：　你能跟我一起去吗?

小方：　行啊。我从小就是在四合院里长大的。

玛丽：　是吗? 太好了! 你能陪我去,真谢谢你了。

小方：　不客气!

玛丽：　我有个朋友,马克,他也想去。

小方：　没问题,明天上午10点你们来找我,我

们一起去吧。

玛丽：　好。

第二部分

王阿姨：　小李,你说我怎么办呢?

小李：　王阿姨,您是说搬家的事吧?

王阿姨：　是啊。我们在这里住了二十多年了,这四合院住着多舒服啊。

小李：　是啊。住习惯了,还真就不想搬了。

王阿姨：　多年的老朋友,以后也不能常常见面了。

小李：　没关系,现在打电话、坐车都很方便,我们可以常联系。

王阿姨：　明天我就要搬走了,今天我想和大家拍张照片,留个纪念。

小李：　好主意! 我去跟大家说,半小时以后,咱们都到院子里来,多拍几张照片。

王阿姨：　好啊。我也去准备一下。

第十一课

第一部分

林华：　马克,你好,这个周末你去做什么了?

马克：　你好,林华。我和我的朋友去了故宫、颐和园,还有长城。

林华：　去了这么多地方啊。你最喜欢哪里?

马克：　我觉得这些地方都好玩。不过,我最喜欢长城。因为长城在山上,我特别喜欢爬山。林华,你最喜欢北京哪个地方?

林华：　我最喜欢颐和园和北海。你们没有去北海吗?

马克：　两天去了三个地方,我们已经太累了。

林华：　下个周末,你们可以去北海看看。

马克：　除了北海以外,我们还打算去逛逛王府井。下周你和我们一起去,好吗?

林华：　对不起,我下周要去天津看我的叔叔。有空的时候我们再一起玩吧。

马克：　好吧。

第二部分

林华：　马克,“十一”的时候有七天的假期,你要回国吗?

马克：　我暑假的时候已经回过加拿大了。“十一”的时候,我想在中国旅行。林华,你觉得我去哪里比较好呢?

林华：　可以去趟天津，天津离北京很近，在那里可以看到大海。而且，你不是很喜欢吃包子吗？天津的包子可是非常有名的。

马克：　太好啦！我还没有去过天津。我听说天津的东西比北京的便宜，所以一直很想去呢。

林华：　周末我和妹妹要去天津。你和我们一起去吧，怎么样？

马克：　当然好了。

第十二课

第一部分

马克：　跑步的那个女孩叫什么？

林华：　穿红衣服的那个吗？

马克：　是啊。

林华：　那是玛丽。

马克：　她穿的运动衣真好看！

林华：　是啊。她人漂亮，衣服也漂亮。

马克：　我觉得玛丽穿白色旗袍的时候最漂亮。

林华：　那件旗袍还是我和她一起买的呢。

马克：　真的吗？玛丽有很多中国式的衣服。不会都是你和她一起买的吧？

林华：　当然不是了。玛丽常常和我妹妹一起逛街。她们买了很多衣服：运动服、休闲服都有。

马克：　我也喜欢中国式衣服，下次，我要和她们一起逛街。

第二部分

林华：　马克，这是我的妹妹林丽。

马克：　林丽，你好！

林丽：　马克，你好！我经常听林华提到你。今天见到你很高兴。

马克：　我也很高兴！我们一起去商场吧？

林丽：　不行，今天我有一个美国朋友要来，我不能去了。马克，你想买什么？

马克：　我想买藏族人穿的那种衣服。

林丽：　你说的是藏袍吧。那种衣服在北京可不好买。

马克：　我还很喜欢表演中国功夫的人穿的衣服。

林丽：　那是唐装，这种衣服比较多。你喜欢什么颜色？

马克：　我喜欢白色和红色。另外，我还想给我妈妈买一件旗袍。

林华：　这我知道哪里有卖的。

马克：　是嘛，太好了林华，那我们赶紧走吧。

附录二

词 语 表
Words and Expressions

阿姨	āyí	auntie
安全	ānquán	safety
白布	báibù	white cloth
白头偕(到)老	báitóu xié(dào) lǎo	live to a ripe old age in conjugal bliss (a couple falling in love and grow old together)
拜年	bàinián	pay a New Year call
包	bāo	cover
包头	bāotou	head cloth
辈分	bèifen	position in the family heirarchy
比较	bǐjiào	comparatively, relatively
比如	bǐrú	for example
鞭炮	biānpào	firecrackers
表演	biǎoyǎn	performance
伯父	bófù	uncle (father's elder brother)
不仅	bùjǐn	not only
不用	bùyòng	never mind, don't trouble yourself
菜单	càidān	menu
菜系	càixì	cuisine, food
参观	cānguān	visit
参加 婚礼	cānjiā hūnlǐ	attend a wedding
长江	Chángjiāng	the Yangtze River
长靴	chángxuē	boot
称呼	chēnghu	call, address (how one addresses the other)
称谓	chēngwèi	title
除了	chúle	besides, except
除了……以外	chúle……yǐwài	besides, except
穿戴	chuāndài	apparel, dress
传统	chuántǒng	tradition
床边	chuángbiān	bedside
春节	Chūnjié	Chinese New Year, Spring Festival
打 电话	dǎ diànhuà	make a telephone call
大概	dàgài	probably

大宅门	dàzháimén	big gate house
傣族 服饰	Dǎizú fúshì	costume of the Dai nationality
戴	dài	wear
担心	dānxīn	worry, be afraid
当然	dāngrán	of course
到处	dàochù	everywhere
到底	dàodǐ	after all, to the end
点菜	diǎncài	order dishes
店	diàn	store, shop
读音	dúyīn	pronunciation
对(介词)	duì(jiè cí)	to, for, in
对面	duìmiàn	the opposite side
顿	dùn	(a measure word for a meal)
发现	fāxiàn	discover
翻	fān	turn upside down
反正	fǎnzhèng	anyway, anyhow
饭馆	fànguǎn	restaurant
肥	féi	loose, fat
分别	fēnbié	difference
服务员	fúwùyuán	waiter (waitress)
福	fú	luck, auspiciousness, fortune
感兴趣	gǎnxìngqù	be interested in
歌剧	gējù	opera
各位	gèwèi	everyone
跟……一起	gēn……yīqǐ	company with
更	gèng	more, even more
功夫	gōngfu	martial art
共同点	gòngtóngdiǎn	common ground
姑姑	gūgu	auntie (father's sister)
故乡	gùxiāng	native place, old home
挂 (画)	guà(huà)	hang (a picture up on the wall)
国画	guóhuà	traditional Chinese painting
国剧	guójù	national opera
海边	hǎibiān	seaside
好吃	hǎochī	delicious
好久 不 见	hǎojiǔ bù jiàn	have not seen some body for a long time
好玩	hǎowán	interesting, amused
喝酒	hējiǔ	drink alcohol
合围	héwéi	surround
黑色	hēisè	black

后天	hòutiān	the day after tomorrow
壶	hú	pot
花旦	huādàn	young female role
画展	huàzhǎn	exhibition of paintings
欢迎	huānyíng	welcome
欢迎光临	huānyíng guānglín	welcome
黄河	Huánghé	the Yellow River
婚纱	hūnshā	wedding gown
建筑	jiànzhù	construction
教	jiāo	teach
叫	jiào	call
教授	jiàoshòu	professor
节目	jiémù	programme
结霜	jiéshuāng	frost
结账	jiézhàng	pay a bill
系	jì	tie
禁忌	jìnjì	taboo
京剧	jīngjù	Beijing opera
舅舅	jiùjiu	uncle (mother's brother)
举行	jǔxíng	host an event
剧场	jùchǎng	theater
聚会	jùhuì	get-together
决定	juédìng	decide,determine
觉得	juéde	think
看来	kànlái	it looks as if, it seems
可是	kěshì	but, yet, however
客气	kèqi	polite
辣	là	spicy
蓝色	lánsè	blue
浪漫	làngmàn	romantic
老板	lǎobǎn	boss
姥姥	lǎolao	grandmather (mother's mother)
姥爷	lǎoye	grandfather (mother's father)
脸谱	liǎnpǔ	types of facial make-up in operas
练习	liànxí	practice
凉菜	liángcài	cold dish
两	liǎng	a unit of weight(=50 grams)
聊天	liáotiān	chat
领子	lǐngzi	collar
流行	liúxíng	popular

毛笔	máobǐ	brush pen
茅台酒	Máotái jiǔ	China's most famous liquor from Guizhou Province
帽子	màozi	cap
每句	měijù	each sentence
美满	měimǎn	happy, perfectly satisfactory
明白	míngbai	understand
墨汁	mòzhī	prepared Chinese ink
呢帽	nímào	soft felt hat
年龄	niánlíng	age
年轻	niánqīng	young
宁静	níngjìng	quiet
爬泰山	pá Tàishān	climbing the Mount Tai
怕	pà	be afraid of, fear
票友	piàoyǒu	amateur performer (of Beijing opera)
平常	píngcháng	ordinary
妻子	qīzi	wife
奇怪	qíguài	strange
青布	qīngbù	black cloth
清淡	qīngdàn	light (food)
请教	qǐngjiào	consult
请客	qǐngkè	stand treat
全家人	quánjiā rén	the entire family
确实	quèshí	indeed
裙子	qúnzi	skirt
热菜	rècài	hot dish
日出	rìchū	sunrise
散开	sānkāi	disperse, separate
山西	Shānxī	Shanxi
上街	shàngjiē	go shopping
上衣	shàngyī	upper outer garment
稍等	shāoděng	wait a moment
少林寺	Shàolínsì	the Shaolin Temple
少数民族	shǎoshù mínzú	minority
深夜	shēnyè	late at night
生日	shēngrì	birthday
诗	shī	poem
诗人	shīrén	poet
时候	shíhou	time (when something is taking place)
试衣服	shì yīfu	try on clothes

收获	shōuhuò	harvest, gains
首饰	shǒushì	ornaments
书法	shūfǎ	calligraphy
叔叔	shūshu	uncle (father's younger brother)
刷子	shuāzi	brush
水果	shuǐguǒ	fruit
思念	sīniàn	have in mind
四合院	sìhéyuàn	*siheyuan*, a compound with houses around a square courtyard
嵩山	Sōngshān	the Mount Song
送终	sòngzhōng	attend upon a dying parent or other senior member of one's family
算	suàn	count as, regard as
所以	suǒyǐ	therefore
T恤	T xù	T-shirt
抬头	táitóu	look up
汤	tāng	soup
特别	tèbié	special
题目	tímù	title (of a poem)
甜	tián	sweet
贴 春联	tiē chūnlián	paste New Year couplete (on the doorway)
通风	tōngfēng	ventilate
团圆	tuányuán	reunion
外公	wàigōng	grandfather (mother's father)
外婆	wàipó	grandmather (mother's mother)
晚辈	wǎnbèi	the younger generation
晚会	wǎnhuì	evening celebration
温暖	wēnnuǎn	warm
文房四宝	wénfángsìbǎo	the four treasures of the study
问题	wèntí	question
五台山	Wǔtáishān	the Mount Wutai
五岳	wǔyuè	the Five Sacred Mountains
喜庆	xǐqìng	happy celebration
戏	xì	drama
戏迷	xìmí	theatergoer
相似	xiāngsì	similar
相信	xiāngxìn	believe, have confidence in
厢房	xiāngfáng	chap, fellow
小生	xiǎoshēng	young male role
小心	xiǎoxīn	be careful
欣赏	xīnshǎng	appreciate, enjoy

新房	xīnfáng	bridal chamber
新郎	xīnláng	groom
新年	xīnnián	New Year
新娘	xīnniáng	bride
新人	xīnrén	newlywed
袖子	xiùzi	sleeve
绣花	xiùhuā	embroider
宣纸	xuānzhǐ	a high quality paper good for traditional Chinese calligraphy
押韵	yāyùn	rhyme
研墨	yánmò	preparing Chinese ink
颜色	yánsè	colour
演出	yǎnchū	perform, performance
腰带	yāodài	waist belt
一般	yībān	general, ordinary
一起	yīqǐ	together
以后	yǐhòu	later
以为	yǐwéi	conceive
因为	yīnwèi	because
银	yín	silver
饮料	yǐnliào	drink, beverage
饮食	yǐnshí	food and drink
应该	yīnggāi	should
永远	yǒngyuǎn	forever
油画	yóuhuà	canvas
油腻	yóunì	greasy
有点儿	yǒudiǎnr	a little bit
有空	yǒukòng	have time
藏袍	zàngpáo	Tibet gown
藏族	Zàngzú	Tibetan
葬礼	zànglǐ	funeral
早生 贵子	zǎoshēng guìzǐ	have a baby soon
窄	zhǎi	narrow
长辈	zhǎngbèi	eldership
找	zhǎo	look for, seek
照片	zhàopiàn	photography
真 热闹	zhēn rè'nao	noisy and exciting
真实	zhēnshí	true
正房	zhèngfáng	principal rooms (in a courtyard)
终结	zhōngjié	end, terminate, celebration
重要	zhòngyào	important
主食	zhǔshí	staple food
注意	zhùyì	pay attention to

祝	zhù	wish someone something (as in "good luck")
专门	zhuānmén	special
壮族	Zhuàngzú	the Zhuang
字数	zìshù	word count
总是	zǒngshì	always
最	zuì	most
最后	zuìhòu	finally, in the end
最近	zuìjìn	recently
座　（量词）	zuò (liàngcí)	a measure word (for mountains, buildings, etc.)

附录三

关 键 句 一 览 表
Key Sentences

第 一 课

给 您 拜年!
Gěi nín bàinián!
Wishing you a happy New Year!

您 家 门上 贴 的 是 什么?
Nín jiā ménshang tiē de shì shénme?
What are those that you pasted on the door?

每年 春节 都 要 贴 春联。
Měinián Chūnjié dōu yào tiē chūnlián.
We paste New Year couplets on the door each year on the Spring Festival.

"到" 和 "倒" 读音 一样。
"Dào" hé "dào" dúyīn yīyàng.
The word "倒" (upside down) sounds similar to the word "到" (coming).

我 担心 你 不来。
Wǒ dānxīn nǐ bùlái.
I was afraid you weren't coming.

什么 时候 放 烟花?
Shénme shíhou fàng yānhuā?
When will you set off fireworks?

吃 完 饭 就 放。
Chī wán fàn jiù fàng.
Right after dinner we'll set them off.

今年 春节 热闹 多 了。
Jīnnián Chūnjié rè'nao duō le.
This year's Spring Festival is more exciting than ever.

放 鞭炮 和 烟花 多 热闹!
Fàng biānpào hé yānhuā duō rè'nao!
Setting off fireworks is really fun !

第 二 课

我 要 一个 麻婆豆腐，再要 一个 酸辣汤。
Wǒ yào yīgè mápódòufu, zài yào yīgè suānlàtāng.
Give me spicy bean curd, and spicy and sour soup.

你们 有 什么 饮料?
Nǐmen yǒu shénme yǐnliào?
What drinks do you have?

有 可乐、果汁、 啤酒, 还有 茶。
Yǒu kělè、guǒzhī、píjiǔ, hái yǒu chá.
We have coke, juices, beer and tea.

好吃 是 好吃, 不过 有点儿 辣。
Hǎochī shì hǎochī, búguò yǒudiǎnr là.
It is delicious, but it's a little bit spicy.

浙江 菜 比较 清淡, 广东 菜 有点儿 甜。
Zhějiāng cài bǐjiào qīngdàn, Guǎngdōng cài yǒudiǎnr tián.
Zhejiang cuisine tastes light, Guangdong cuisine tastes sweet.

南方 菜 更 清淡。
Nánfāng cài gèng qīngdàn.
Southern food tastes light.

我 最 喜欢 吃 广东 菜。
Wǒ zuì xǐhuan chī Guǎngdōng cài.
I like Guangdong food the most.

第 三 课

你 叫 什么 名字?
Nǐ jiào shénme míngzi?
What is your name?

在 中国, 我们 先 说 姓,然后 说 名。
Zài Zhōngguó, wǒmen xiān shuō xìng, ránhòu shuō míng.
In China we say our surname first, followed by our personal name.

你 姓 林 还是 名字 叫 小林?
Nǐ xìng Lín háishi míngzi jiào xiǎolín?
Is your surname Lin or your first name Lin?

怎么　您 的 姓 跟 他们 的 不一样 呢?
Zěnme nín de xìng gēn tāmen de bùyīyàng ne?
Why is your surname different from theirs'?

我 姓 林, 因为 年轻, 所以 刘 老师 叫 我 小林。
Wǒ xìng Lín, yīnwèi niánqīng, suǒyǐ Liú lǎoshī jiào wǒ xiǎo Lín.
My surname is Lin, because of my age, Teacher Liu calls me "little" Lin.

我 正 跟 学生 谈话 呢。
Wǒ zhèng gēn xuésheng tánhuà ne.
I am talking with my students.

第 四 课

参加 (一个) 婚礼。
Cānjiā (yīgè) hūnlǐ.
Attend a wedding.

因为 今天 我 要 去 参加 婚礼。
Yīnwèi jīntiān wǒ yào qù cānjiā hūnlǐ.
Because I have to attend a wedding today.

我们 穿 什么 颜色 的 都 可以。
Wǒmen chuān shénme yánsè de dōu kěyǐ.
We can wear any colour we want.

祝 你们 永远 幸福!
Zhù nǐmen yǒngyuǎn xìngfú!
Wish you will always be happy and healthy!

我们 打算 去 拉萨 旅行 结婚。
Wǒmen dǎsuan qù Lāsà lǚxíng jiéhūn.
We are planning to go to Lhasa to have a traveling wedding.

第 五 课

你们 给李明 打 电话 了吗?
Nǐmen gěi Lǐ Míng dǎ diànhuà le ma?
Have you phoned Li Ming yet?

他 叫 我们 有 空 就 去 玩。
Tā jiào wǒmen yǒu kòng jiù qù wán.
He said we are welcome anytime we go.

茅台 酒太 贵了, 不 合适。
Máotái jiǔ tài guì le, bù héshì.
Maotai is too expensive, it's not suitable.

我们　该 回去了。
Wǒmen gāi huí qù le.
We should be heading back now.

不同　的 语言 有　不同　的　称谓。
Bùtóng de yǔyán yǒu bùtóng de chēngwèi.
Different languages have different titles.

有空　　常　来 玩。
Yǒukōng cháng lái wán.
Come visit often if you like.

第 六 课

我　正在　　想 送 什么 礼物。
Wǒ zhēngzài xiǎng sòng shénme lǐwù.
I am thinking about buying a gift.

我们　　上街 去买 吧。
Wǒmen shàngjiē qù mǎi ba.
Let's go shopping.

你 看 这个 礼物　怎么样?
Nǐ kàn zhège lǐwù zěnmeyàng?
What do you think about this gift?

生日　怎么 能　送　闹钟?
Shēngrì zěnme néng sòng nàozhōng?
How can we give a clock as birthday gift?

我 有 一个 问题　想　请教 你。
Wǒ yǒu yīgè wèntí xiǎng qǐngjiāo nǐ.
I have a question to consult you.

送　闹钟　听 起来 像　送终。
Sòng nàozhōng tīng qǐlái xiàng sòngzhōng.
"Giving sb. a clock" in Chinese sounds similar to "bring death" to somebody.

以后 得 多 注意了。
Yǐhòu děi duō zhùyì le.
Be careful from now on.

第 七 课

看戏 去。
Kànxì qù.
Go to theater.

京剧　不仅　唱，　还有　对白、　动作　和　功夫　表演。
Jīngjù bùjǐn chàng, háiyǒu duìbái、dòngzuō hé gōngfu biǎoyǎn.
Beijing opera includes not only singing part, but also spoken part, action and martial art parts.

买　几个　脸谱画　带　回去。
Mǎi jǐgē liǎnpǔhuà dāi huíqù.
I will buy some pictures of Beijing opera facial make-up.

他们　又　唱　又　跳。
Tāmen yòu chàng yòu tiào.
They sing and dance at the same time.

我　每天　早上　去　公园　里　唱。
Wǒ měitiān zǎoshang qù gōngyuán lǐ chàng.
We go to the park to sing and act every morning.

我　对　京剧　非常　感　兴趣。
Wǒ duì jīngjù fēicháng gǎn xìngqù.
I am very interested in Beijing opera.

第 八 课

我　在　练习　书法　呢。
Wǒ zài liànxí shūfǎ ne.
I am practicing brush calligraphy.

这　是　用来　研墨　的。
Zhè shì yōnglái yánmō de.
This is for preparing Chinese ink.

有是有，　但是　不合适。
Yǒushìyǒu, dànshì bū héshì.
Yes, it is. However, it might not be suitable.

想要　　墨汁　浓　一点儿　或者　淡　一点儿，可以自己　决定。
Xiǎngyào mòzhī nóng yīdiǎnr huòzhě dàn yīdiǎnr, kěyǐ zìjǐ juédìng.
You decide whether you want the ink be thick or thin.

这　是　在布上　　画　的　还是　在　纸上　画　的?
Zhè shì zài bùshang huà de háishì zài zhǐshang huà de?
Where does this painting paint, paper or canvas?

我　更　喜欢　油画，因为　　油画　更　真实。
Wǒ gèng xǐhuan yóuhuà, yīnwèi yóuhuà gèng zhēnshí.
I like canvas even more, because canvas is more realistic.

中国画　　很有特点。
Zhōngguóhuà hěn yǒu tèdiǎn.
Traditional Chinese paintings is something different.

第 九 课

教 女儿学 唐诗。
Jiāo nǚér xué tángshī.
Teach daughter to read poems of the Tang Dynasty.

这 是 谁 写 的 诗?
Zhè shì shuí xiě de shī?
Who wrote this poem?

抬 起 头 来 看 月亮。
Tái qǐ tóu lái kàn yuèliang.
Raising my head, I look at the bright moon.

我们　一起学。
Wǒmen yīqǐ xué.
Let's read together.

我 有一个 发现。
Wǒ yǒu yī gè fāxiàn.
I have found something.

唐诗　的 每一句的 字数 一般 都 一样。
Tángshī de měi yījù de zìshù yībān dōu yīyàng.
Each sentence of the poems of the Tang Dynasty has the same number of words.

好好　学 吧。
Hǎohao xué ba.
Exert oneself to learn.

第 十 课

我 常 听 人们 说 北京 的 四合院 很 有 名。
Wǒ cháng tīng rénmen shuō Běijīng de sìhéyuàn hěn yǒu míng.
I have heard that *Siheyuan* of Beijing is very famous.

不 一样, 有 大的, 也 有 小的。
Bù yīyàng, yǒu dàde, yě yǒu xiǎode.
They are different, some are big, and some are small.

四面　房子合围　出　一个　院子，所以　叫　四合院。

Sìmiàn fángzi héwéi chū yīgè yuànzi, suǒyǐ jiào sìhéyuàn.

The reason we call it *Siheyuan* is because it's a compound with houses around a square courtyard.

不算　多。

Bùsuàn duō.

We don't say that is a lot.

我们　什么　时候也去　参观　参观，　怎么样?

Wǒmen shénme shíhou yě qù cānguān cānguān, zěnmeyàng?

When can we go and visit there?

四合院　的大门　都开在　东南　角。

Sìhéyuàn de dàmén dōu kāi zài dōngnán jiǎo.

The gate of *Siheyuan* is located at the south-east corner of the house.

门　朝南　的房子叫　正房

Mén cháonán de fángzi jiào zhèngfáng

Rooms facing south are called principal rooms.

东西　两边的房子做　什么　用?

Dōngxī liǎngbiān de fángzi zuò shénme yòng?

What's the use of the two wing-rooms?

看来，中国　人喜欢　几代人一起住。

Kànlái, Zhōngguó rén xǐhuan jǐdài rén yīqǐ zhù.

It seems that people of China like to live with their older generations.

第 十 一 课

好久　不见。

Hǎojiǔ bù jiàn.

I have not seen you for a long time.

你是什么　时候去的?

Nǐ shì shénme shíhou qù de?

When did you go?

你是自己去的吗?

Nǐ shì zìjǐ qù de ma?

Did you go there alone?

这次　旅行玩得　怎么样?

Zhècì lǚxíng wán de zěnmeyàng?

How was your trip?

我们 在一起 唱歌、 聊天, 好玩 极了!
Wǒmen zài yīqǐ chànggē、liáotiān, hǎowán jí le!
We song and chatted together. It was wonderful!

你 去过 泰山 吗?
Nǐ qùguo Tàishān ma?
Have you been to the Mount Tai?

除了 中岳 嵩山 以外,我 都 去过。
Chúle zhōngyuè Sōngshān yǐwài, wǒ dōu qùguo.
Except the Mount Song, the Central Mountain, I have been to other four sacred mountains.

除了 五岳 以外,我 还 去过 山西 的 五台山。
Chúle wǔyuè yǐwài, wǒ hái qùguo Shānxī de Wǔtáishān.
Besides the Five Sacred Mountains, I have also been to the Mount Wutai in Shanxi Province.

我 听说 长江 又 叫 扬子江, 是 中国 最长 的 河。
Wǒ tīngshuō Chángjiāng yòu jiào Yángzǐjiāng, shì Zhōngguó zuìcháng de hé.
I have heard that the Changjiang River is also named Yangtze River which is the longest river in China.

第 十 二 课

她 穿戴 的 是 傣族 的 传统 服饰。
Tā chuāndài de shì Dǎizú de chuántǒng fúshì.
She is wearing traditional Dai costume.

傣族 是 中国 的 少数 民族。
Dǎizú shì Zhōngguó de shǎoshù mínzú.
The Dai is one of the minorities of China.

上衣 短,袖子窄; 下面 的 长裙 叫 "筒裙"。
Shàngyī duǎn, xiùzi zhǎi; xiàmian de chángqún jiào "tǒngqún".
Short upper outer garment, narrow sleeves, the long skirt is called tube-shaped skirt.

他们 的 上衣 又 短 又 窄。
Tāmen de shàngyī yòu duǎn yòu zhǎi.
Their upper outer garments are short and tight.

裤子 挺 肥 的。
Kùzi tǐng féi de.
Their trousers are loose.

头上 总是 包着 包头。
Tóushang zǒngshì bāozhe bāotou.
They wear headcloth all the time.

他们　　一般　都　穿　　　长靴，系　腰带。
Tāmen yībān dōu chuān chángxuē, jì yāodài.
Generally, they like to wear boots and waist belt.

"藏"　和　　"壮"　的 发音　差不多 。
"Zàng" hé "zhuàng" de fāyīn chàbuduō.
There is no big difference between the pronunciation of the word "Zang" and "Zhuang".

很多　　　壮族人　　都　喜欢　戴　非常　　漂亮　的　银 首饰。
Hěnduō Zhuàngzúrén dōu xǐhuan dài fēicháng piàoliang de yín shǒushi.
Most of the Zhuang like to wear beautiful silver ornaments.

郑 重 声 明

图书在版编目（CIP）数据

体验汉语. 文化篇/曾晓渝主编. —北京：高等教育出
版社，2006.7（2012.3 重印）
60~80 课时
ISBN 978 - 7 - 04 - 020263 - 2

Ⅰ.体...　Ⅱ.曾...　Ⅲ.汉语－对外汉语教学－教材
Ⅳ.H195.4

中国版本图书馆 CIP 数据核字（2006）第 069308 号

出版发行	高等教育出版社		咨询电话	400 - 810 - 0598
社　　址	北京市西城区德外大街 4 号		网　　址	http://www.hep.edu.cn
邮政编码	100120			http://www.hep.com.cn
印　　刷	北京中科印刷有限公司		网上订购	http://www.landraco.com
开　　本	889 × 1194　1/16			http://www.landraco.com.cn
印　　张	13.75			
字　　数	200 000		版　　次	2006 年 7 月第 1 版
购书热线	010 - 58581118		印　　次	2012 年 3 月第 7 次印刷

本书如有缺页、倒页、脱页等质量问题，请到所购图书销售部门联系调换　　ISBN 978 - 7 - 04 - 020263 - 2

版权所有　侵权必究　　06500

物　料　号　20263 - 00